MARIE DESJARDINS
MARIE

Nous remercions le Conseil des Arts du Canada de l'aide accordée à notre programme de publication

ISBN 2-89396-190-8

Dépôt légal - 4ᵉ trimestre 1999
Bibliothèque nationale du Québec
Bibliothèque nationale du Canada

Illustration de la couverture: Denise Desjardins, huile 16 x 20

Imprimé au Canada

990 Croissant Picard, Ville de Brossard, Québec, Canada J4W 1S5
Téléphone/Télécopieur: (450) 466-9737
humanitas@cyberglobe.net

Marie Desjardins

MARIE

ROMAN

HUMANITAS

I

Berthe alluma une cigarette et la fuma lentement. Que ferait-elle? C'était dimanche. Alexandre venait de partir en voiture avec Jean et Bruno pour la tournée des malades, Thérèse jouait dehors avec le petit Lepoutre, Marie...

Marie n'était plus là.

Longtemps Berthe contempla ce qu'elle voyait par la fenêtre: le jardin couvert de neige, un pin magnifique, le ciel bleu filtrant les branches et six fauteuils en bois dans lesquels une famille s'était assise l'été précédent, ignorant son bonheur. Puis elle promena un regard éteint sur la cuisine. Il y avait des chaudrons à laver, des draps à repasser entassés dans un grand panier d'osier, le tri à faire dans la glacière. À son retour, Alexandre s'y mettrait, exaspéré.

– Ah! Berthe! La crème a encore tourné!

Et il jetterait avec impatience le contenant dans la poubelle.

À quoi bon ranger? Pourtant Berthe s'affairerait jusqu'à ce qu'elle trébuche à cause du talon de sa chaussure que, depuis la mort de sa fille, elle n'avait pas fait réparer. Aujourd'hui, tout en fumant, elle tripotait le petit clou qui dépassait du talon. Le plancher de linoléum de la cuisine était criblé de petits trous.

Berthe poussa un long soupir. Il lui semblait que Marie flottait au-dessus d'elle, chuchotait à son oreille et la maintenait entre le réel et l'invisible. Il ne restait plus qu'à jouer du piano, pour mieux s'en souvenir.

Berthe posa un vase plein de giroflées sur la table d'harmonie. Elle regarda longuement leurs tiges serrées dans l'eau trouble et leurs pétales rose clair comme une des robes de Marie. Quand l'avait-elle portée la dernière fois? Le lendemain de son anniversaire? Le premier dimanche de septembre? Alors elle revit la courbe du front de sa fille, les petits cheveux fous à l'endroit de la séparation, ses dents, le grain de sa peau, la forme de ses ongles. Elle l'entendit parler, pleurer, rire.

– Maman! Je suis arrivée première de classe!

Le bonheur dans ses yeux. Pourtant elle y croyait à peine, même si elle avait bien prié pour cela.

– Tu vois!... Ça a été comme tu disais : Saint-Joseph m'a exaucée.

Mais non : c'était sa persévérance, son ardeur au travail et puis sa beauté, ses cheveux presque blonds, ses yeux sombres, tout son visage d'enfant de treize ans heureuse de vivre auprès de ses parents qui s'aimaient en se déchirant. Marie avait été un ange. Mais comment lui dire, aujourd'hui qu'elle n'était plus, qu'on l'avait tant aimée?

Berthe se mit à jouer du Brahms en pleurant. Elle n'entendit pas Alexandre rentrer de ses visites et ne s'arrêta qu'au moment où elle sentit ses mains se poser sur ses épaules.

– Fillon, murmura-t-il.

Dès le début de leurs amours, il l'avait surnommée «Fillon» car elle lui avait fait penser à une petite fille, qu'elle était toujours.

– Tu te fais du mal...

Berthe lui jeta un regard plein de détresse.

– Je sais... Je sais!

Puis elle enfonça ses doigts dans ses cheveux et ses épaules se voûtèrent sous la robe prune à motifs noirs, ample, qu'elle portait souvent car elle dissimulait son embonpoint.

– As-tu pensé à quelque chose pour le dîner? demanda Alexandre.

Mais Berthe sanglotait, recroquevillée sur son piano.

Tout à coup une porte claqua. Thérèse entra dans le salon et marcha vers ses parents en boitant.

Alexandre observa sa fille, se pencha sur son genou et l'effleura du doigt.

– Tu saignes. Comment t'es-tu fait ça?

– Je suis tombée dans l'escalier. Avec Jules Lepoutre.

– On va mettre quelque chose là-dessus et après on va faire un pansement.

Thérèse suivit son père jusqu'à son cabinet, sa main dans la sienne, mais non sans avoir intensément regardé sa mère. Depuis que Marie avait disparu, Berthe portait la même robe, elle allait d'une pièce à l'autre en regardant dans le vide et pleurait chaque fois qu'elle jouait du piano. Thérèse se disait : «Elle pleure encore, elle pleure encore, et moi, je n'existe pas?». Mais depuis que Marie était partie on ne faisait plus attention aux petites misères de Thérèse : son tablier était chiffonné, ses cheveux mal coiffés, ses ongles douteux et, ce matin, elle n'avait pas eu de petit déjeuner.

– À part tomber dans l'escalier, tu ne te serais pas battue par hasard? demanda Alexandre.

Son père avait une voix douce et il tenait toujours sa main.

– Est-ce qu'une petite fille de neuf ans qui se bat avec son meilleur ami est une petite fille obéissante et polie? demanda-t-il. Je vous ai entendus vous disputer dans le solarium tout à l'heure...

Alexandre ouvrit sa boîte à pansements, en sortit de la gaze, du sparadrap, du coton et retira d'une armoire une bouteille en verre marron.

– C'est quoi? demanda Thérèse.

– Du peroxyde.

– Ca va brûler?

Thérèse allongea sa jambe sur le bras du fauteuil capitonné.

– Papa...

– Mmm...

– Marie... Elle ne pourra jamais revenir?

Alexandre épongeait la plaie avec beaucoup d'attention. Puis il saisit une petite pince et replaça délicatement les lambeaux de peau.

– Jamais.

Thérèse fixait son père en se disant que son bobo lui faisait bien moins mal que le nœud qu'elle avait au cœur depuis que Marie était partie.

– Oui mais vous avez dit avec maman que le corps meurt et que l'Esprit vit.

– Oui.

– Alors Marie pourrait nous faire des signes?

Alexandre ne répondit pas mais ses mains cessèrent de bouger.

– Alors Marie pourrait nous faire des signes? répéta Thérèse.

Toute sa vie elle devait croire que, cet après-midi-là, son père avait gardé les yeux sur son genou pour ne pas lui montrer que lui aussi pleurait la mort de Marie, sa fille aînée, celle que tout le monde aimait tant elle était belle, tant elle avait du cœur – Marie que tous avaient pleuré à la messe de sa mort.

Ce jour-là, dans l'église déjà décorée pour la fête de Noël, Thérèse était restée entre ses parents et ses frères. Tout le monde avait la tête baissée, chacun était habité par Marie. Au moment de la communion, Berthe s'était cramponnée au catafalque du cercueil et Thérèse avait pensé à une araignée prise dans un rideau, bien agrippée à l'étoffe, impossible de l'enlever.

– Tiens. Ton pansement est fini. Va jouer maintenant. Mais je t'avertis : la prochaine fois que tu te bats je vais intervenir.

Thérèse sortit par la porte de devant pour éviter de repasser par le salon. Plus tard, traînant autour de la maison, elle entendit sa mère jouer un prélude de Chopin, un prélude infiniment triste. Puis son père cria du bureau :

– Joue donc autre chose, Fillon, pour l'amour de Dieu!

Ce soir Thérèse arrangerait tout cela. Elle jouerait à son père un morceau charmant que les sœurs du couvent de Belœil lui faisaient pratiquer.

Un morceau que Marie lui avait appris et que, la veille de sa mort, elle avait joué pour la dernière fois.

Alors le cœur de Thérèse se serra à l'idée que son père n'aurait aucune joie à l'entendre.

Elle ne pourrait jamais remplacer Marie, ni combler le vide que sa sœur avait laissé dans la maison, ni dissiper tout ce qui y restait d'elle et qui envahissait son cœur, comme une grande blessure.

Le corps de Marie est dans un cercueil, derrière la grille du charnier. On attend le retour des beaux jours pour le mettre en terre. Dans la sépulture les vers ne peuvent pas l'atteindre. Pas encore. Mais dans six mois, qu'en restera-t-il?

Alors Jean se dit que les cheveux de sa sœur sont encore intacts, comme la peau de ses paupières fermées, comme la chair de ses lèvres pâles. Marie ne sourit plus, elle dort, les mains le long du corps, au fond d'une boîte bien capitonnée. Pas de vers là-dedans, sauf le vide – silence absolu, apesanteur, plus d'air, plus un souffle d'air! C'est ce que les pères jésuites apprennent à Jean, au laboratoire : l'expérience du vide.

En ce 6 janvier, jour des Rois, il y a dix-huit jours que Marie est morte. Sur le cimetière de Beloeil, par les champs et dans le village, un vent aigre siffle sans répit. À la maison on pleure ou on se tait. On se tait dans le silence de l'hiver. Dans le silence de la mort.

La fête de Noël a été une catastrophe. Les enfants consternés, les parents abattus, les oncles et les tantes affairés à combler, compenser, faire du vent.

Demain Jean retournera au collège, loin de chez lui, de la maison, et encore plus loin de l'ombre de Marie. Il retrouvera le réfectoire, le parloir, le dortoir, le regard oblique des pères et le surveillant aux mains moites qui rôde autour de son lit. Il lui dira de se tenir tranquille. L'hiver n'est plus comme l'automne: un fossé grand comme une vie s'est creusé pendant les vacances de Noël puisque sa sœur est morte.`

Jean reste sans bouger devant le charnier des morts qui attendent le dégel pour être enterrés. Marie est couchée sous le notaire, disparu la même semaine, et son cercueil couvre celui d'un petit Fréchette, benjamin d'une famille de douze, un patient du «docteur Sacha», attrapé à six ans par la typhoïde. Se souviendra-t-on de son prénom, au printemps, quand on ramènera Marie à la lumière puis aux ténèbres d'une fosse profonde?

Jean pleure. Il peut se le permettre, loin de tous, dans le vent qui s'élève et sous les nuages bas, si bas qu'ils l'écrasent, lui et sa jeunesse, c'est-à-dire sa solitude de garçon de quinze ans embarrassé dans tout son corps qu'il donnerait à Marie, si cela se pouvait.

L'aimait-elle? Leurs yeux étaient semblables, sombres, mordorés, noirs sur les photos comme dans la colère. Ils se disputaient violemment, pour rien, comme leurs parents, jusqu'à ce que Marie dise : «Folle, fou, crotte, pisse! J'en ai assez! Tu veux toujours avoir raison!»

Tout cela est fini et Jean porte amèrement sa peine, comme sa condition d'aîné : comment peut-il supporter de ne pas être aimé plus, mieux, à sa juste valeur? Lui connaît l'histoire de sa famille, puisqu'il y a quinze ans qu'il voit ses parents et l'existence qu'ils mènent. Déjà, Marie en savait moins que lui. Quant à Bruno et Thérèse, les plus petits, épargnés, couvés... Bruno le protégé de Marie, né deux ans après elle, le même jour, en plein été. Pas comme lui, Jean, venu quand les arbres ont déjà perdu toutes leurs feuilles... Comme c'est lourd, comme c'est lourd d'être Jean, d'être lui. Il a honte de s'apitoyer sur lui-même alors que Marie n'a pas cessé de le combler de sa présence silencieuse. Alors il se met à genoux dans la neige et il prie comme les pères le lui ont appris.

Quand la nuit s'abattit sur le cimetière, Jean se mit à courir sans regarder derrière lui. Enfin il entra dans la maison, à bout de souffle, la figure blême. Thérèse se précipita sur lui et empoigna la manche de son manteau.

– Où étais-tu? Je voulais que tu m'aides dans mon aquarelle. J'ai fait des oiseaux et des fleurs, comme si c'était l'été.

Elle le regardait intensément. Elle comprenait tout? Ce qu'il avait fait? Où il était allé? Avec qui il était? Ses yeux, menaçants, impérieux, des vrais yeux d'affamés disaient et demandaient tout. Berthe écarta Thérèse et marcha vers son fils comme une automate. Elle cherchait Marie. Alors Jean eut l'impression que son corps était un tombeau.

– C'est moi qui aurait dû mourir à sa place! cria-t-il.

Berthe se mit à pleurer, la tête dans ses mains. Thérèse regarda à droite, à gauche, et se blottit contre sa mère. Alexandre ne tarda pas à arriver dans la cuisine. Il interrogea son fils du regard.

– Je n'ai rien fait! dit Jean. Je n'ai rien dit!

Alexandre entraîna Berthe dans le salon. Quand ils en revinrent elle était calme et demanda presque en souriant où était Bruno. Puis elle félicita Thérèse et Jean d'avoir décoré la table des Rois avec des oranges et une petite branche de sapin.

Mais Thérèse et Jean s'étaient trompés. Par habitude, ils avaient mis six couverts au lieu de cinq.

Les pleurs parvinrent à Bruno au moment où il s'apprêtait à rejoindre sa mère pour l'aider à préparer la galette des Rois. Comme il le faisait depuis bientôt trois semaines, il s'était retiré dans la chambre de Marie avec Tommy, le Saint-Bernard qui avait remplacé le premier Tommy. Par la fenêtre, dans la nuit bleue, à gauche de la plus haute branche du pin, il retrouvait son étoile. Son père lui avait appris qu'il s'agissait de Vénus, mais pour Bruno cette étoile était Marie, et il la suivrait comme les mages avaient suivi l'étoile du berger, deux mille ans avant que sa sœur vienne au monde.

Ce soir-là, convive d'une morte qui planait sur tout, la famille fêta les Rois en silence. À la première bouchée de galette, Bruno croqua la fève. Ainsi, il était le roi. Mais il n'avait plus de reine. Alors ça ne valait rien. Il se tut.

On se demanda longtemps comment il avait été possible que personne ne se soit rendu compte d'avoir mangé la fève. Et Thérèse répétait :

– On l'a avalée tout rond! On l'a avalée tout rond!

II

Au fond, tout le monde savait que Marie partirait. Elle était née avec une insuffisance cardiaque, comme Bruno d'ailleurs, son double venu au monde deux ans après elle, jour pour jour, un 22 août. Mais Bruno était un garçon, et Marie une fille. On disait à Marie de ne pas courir, à Bruno de faire attention. Que ce fût Paulette, Germain, Michel ou Hubert, tous les amis de Marie avaient surpris au moins une fois une sorte de dureté dans le regard d'Alexandre quand il attrapait sa fille par le bras et qu'il disait : «Tu as compris, Marie? Ne cours pas». Marie acquiesçait mais ça lui gâchait son après-midi. Quand elle se mettait à ses gammes et à ses arpèges, au retour de ses promenades, elle avait l'impression d'être clouée à son banc, prisonnière du piano et d'une vie qu'on lui offrait sans vraiment la lui donner. Il ne lui restait plus qu'à dominer le piano en exécutant avec fureur quelque pièce de Bach ou de Schubert que sœur Angèle lui faisait travailler. De la cuisine, Berthe la reprenait : «Ne pioche pas! Joue-moi l'*Ave Maria* sans la pédale». Ainsi, une fois de plus, on la prenait en faute dans son désir de lutter contre l'ennui qui la menaçait à tout bout de champ. «Attention Marie!» «Couvre-toi!» «As-tu mal à la tête?» Tout cela était dit doucement mais il arrivait qu'Alexandre l'entraîne dans son cabinet, la fasse asseoir, prenne son pouls, l'ausculte et ne la relâche qu'une fois rassuré sur son compte.

Au printemps, quand la glace fondait enfin sur le Richelieu et que les érables bourgeonnaient, Marie, elle, se figeait dans sa course comme la statue de sel dont l'oncle Arthur lui avait raconté l'histoire. Quand l'été arrivait, c'était pire encore. Il faisait beau chaque jour et chaque jour était une fête. Ses frères, sa sœur et ses amis dévalaient la pente raide de l'autre côté de la route, se jetaient dans la rivière et Marie les suivait, tranquillement. Elle aurait bien voulu savoir pourquoi la vie (Dieu?) lui avait infligé cette maladie qui ne se voyait même pas et qu'elle traînait comme un mensonge. Cela la rendait souvent triste. Mais elle n'en disait rien à personne.

Parfois Bruno la surprenait tourner en rond sur la galerie, à côté du hangar qui servait de garage et d'atelier. Puis elle marchait dans le jardin d'un pas décidé. Sa jupe dansait sur ses jambes et ses cheveux ondulés avaient l'air de danser aussi. Elle allait s'asseoir sur le banc qu'Alexandre avait installé sous les lilas. Quand Bruno s'approchait, en silence, elle posait sur lui des yeux sombres, et s'il n'avait pas été convaincu que Marie était faite pour le bonheur, il aurait distingué une sorte de détresse dans son regard. Mais il gardait dans sa mémoire toutes les journées privilégiées passées avec elle, et particulièrement celles de l'époque où son père l'avait opéré des deux genoux parce qu'ils étaient cagneux. Sous l'œil sévère de Marie, il avait mis un an à réapprendre à marcher. En se concentrant, il la sentait encore l'aider à se relever de sa chaise longue et l'engager à s'appuyer ferme sur son bras. «Pense à Lazare», disait-elle. Puis elle ajoutait : «Si tu fais quatre pas de plus qu'hier, je te lirai deux chapitres de *Pauvre Blaise* au lieu d'un». Et Bruno avançait malgré la douleur et la crainte que ses jambes décharnées ne lui servent à rien d'autre qu'à tomber aux pieds de sa sœur. Presque chaque soir, pensionnaire à l'internat de Belœil, il repassait dans sa tête ses images-là et, peu à peu, elles avaient raison des maux de ventre qui le prenaient quand il devait s'allonger sur son lit pliant, au milieu de quarante lits tous pareils, avec des enfants dedans, des inconnus. Bruno se demandait à quoi cela servait d'avoir des enfants si c'était pour les mettre en pension. Un jour, la mère du petit Michel avait en partie élucidé le mystère et il avait compris qu'il s'agissait tout simplement d'une fatalité : «Vous avez bien fait, Berthe, d'inscrire Bruno à l'internat de Beloeil, avait-elle dit avec gravité. Les petits garçons ont besoin de s'accoutumer de bonne heure à la dure vie de responsabilités qui attend les mieux éduqués».

Bruno gardait aussi de Marie un souvenir beaucoup plus ancien. C'était un matin de Pâques, ensoleillé et bruissant. Le vent soufflait dans les feuilles vert tendre des peupliers et on entendait les oiseaux pépier. Sa main dans celle de Marie, Bruno avait marché jusqu'à l'église du village. Leur ombre se profilait dans les flaques d'eau qu'ils contournaient d'un même pas pour ne pas abîmer leurs chaussures neuves. Même s'il n'était pas à l'aise dans la chemise au col bien empesé et le pantalon qu'il n'avait mis qu'à Noël, Bruno se sentait léger. Marie avançait, silencieuse, impassible. Un sourire flottait sur ses lèvres et dans ses yeux ; ses cheveux miroitaient au soleil, elle portait un petit manteau gris perle. Pâques... Une journée magique. Après la messe, la famille faisait toujours honneur au festin dont on avait rêvé sans en parler pendant quarante jours. Si Berthe avait eu la tête à ce repas, et si elle n'avait pas confondu fromage râpé et savon à lessive, comme la fois du macaroni raté, il y avait un rosbif, des petits pois aux lardons, de la purée avec un trou pour la sauce, du gâteau des anges et plein de chocolats ramenés de Québec par l'oncle Arthur qui, depuis ce matin-là, n'était jamais reparti de la maison.

Quand Bruno rejoignait Marie dans le jardin, elle disait:
– Suis-moi.

Et il n'osait pas lui dire que Germain et Michel l'attendaient au bord de la rivière pour mettre le canot à l'eau. Cependant il l'attrapait par la manche de sa robe, et elle lui mettait la main sur la bouche en pointant du doigt le réduit qui jouxtait l'entrée de la maison. Leur mère était plantée devant ce qu'ils appelaient la «dépense» ; elle frappait à la porte et attendait, l'oreille tendue, comme si le vin ou la viande qu'on y conservait avaient pu lui dire d'entrer. Marie et Bruno observaient l'étrange spectacle en échangeant des sourires.

Enfin Bruno demandait à sa sœur si elle voulait bien faire un tour en canot. Ils repartaient ensemble. Sur la berge, Marie reprenait son souffle et Bruno scrutait la rivière. Il repérait vite le canot. Jean, Michel et Germain se dirigeaient vers le mont Belœil, un ancien volcan qu'ils gravissaient par beau temps jusqu'au sommet pour ensuite se baigner dans le petit lac qui s'y trouvait dissimulé. Puis Thérèse surgissait, escaladait un petit rocher et mettait ses mains en porte-voix.

– Attendez-moi! Attendez-moi!

Quand elle comprenait que son frère et ses amis étaient partis sans elle et qu'ils ne pouvaient pas l'entendre, elle se mettait à pleurer. Marie allait à sa rencontre et entreprenait de la consoler avec ses petits moyens : «Je t'apprendrai l'arpège en *La*, veux-tu terminer l'aquarelle qu'on a commencée hier?».

– Ça sert à rien! disait Thérèse en gémissant. Tu m'as dit que mon rouge-gorge avait l'air d'une souris!

Mais Marie savait apaiser sa sœur et transformer ses peines en fous rires. Elles rentraient toutes deux vers la maison, bras dessus, bras dessous, et Marie jetait un regard heureux à Bruno. Il restait sur la berge à contempler l'eau en attendant le retour des autres, puis il prenait le canot à son tour et allait chaque fois plus loin, en aval ou en amont, sur une rivière qu'il imaginait sans début et sans fin.

III

«Je voudrais bien aller en ville dimanche prochain, en autobus, avec Paulette. Mais Maman dit que c'est impossible parce qu'elle n'a pas de bonne.»

Marie s'agita sur sa chaise.

Qu'écrirait-elle encore dans ce journal qu'on lui avait offert à Noël? Elle effleura du doigt les chiffres de l'année 1942 gravés sur la couverture de carton noir, puis rouvrit le calepin.

«Vendredi tante Berthilie m'a donné une image de Saint-Joseph pour me féliciter de...»

– Marie!

Marie sortit dans le corridor. Au pied de l'escalier, Berthe attendait.

– C'est Paulette?

Berthe sourit à sa fille. Dans ses yeux il y avait une grande tendresse et de la souffrance mêlée.

Sa souffrance.

– Non, ton père t'attend dans la voiture, pour les visites.

Deux minutes plus tard, Marie était dehors. La neige avait recouvert les arbres et le Richelieu gelé scintillait au soleil. Pourtant sa mère resterait seule avec son air triste. Elle passerait la journée allongée sur le divan du solarium, causerait avec Henriette Lepoutre, la mère de Paulette, et jouerait *Plaisir d'amour* en tanguant sur son banc de piano.

– Dis à ton père d'être prudent. Et ne rentrez pas trop tard!

Mais Marie était déjà dans la voiture, heureuse de se laisser emporter par les chemins du village et de la campagne, chez les riches et les pauvres, vers tout ce qu'il y avait à apprendre dans la maison des autres. Sur la route, elle demanderait à son père d'acheter des fleurs pour sa mère. Du reste, à la fin de l'après-midi, ce serait elle qui les tendrait à Berthe pour la voir sourire et s'extasier comme si le bouquet était le plus beau trésor de la terre.

– Oh! Marie! Marie!

Berthe serrerait les fleurs sur son cœur, les yeux mi-clos. Une joie réelle et profonde illuminerait son visage.

– Des giroflées! Des giroflées! J'aime tellement les giroflées!

Alexandre s'enfermerait alors dans son cabinet, Marie raconterait son après-midi chez les malades et Thérèse pesterait qu'on ne lui ait pas demandé d'y aller aussi.

– Mais tu n'étais pas là!

– J'étais là!

– Tu n'étais pas là, je t'ai cherchée...

La soirée se déroulerait comme d'habitude, doucement ou tristement, ça dépendrait d'Alexandre, de Berthe et de ce qui se serait produit dans la journée. Mais, quoi qu'il arrive, Marie était bien sûre que sa mère viendrait la border dans son lit et que son père lui chanterait une vieille chanson française.

Marie était heureuse ; elle vivait dans la grande innocence de l'enfant qui attend de la vie ce qu'elle n'apporte jamais d'elle-même.

Chaque jour, Alexandre partait travailler à Montréal, comme médecin du gouvernement. Le soir, il rendait visite aux malades de Beloeil et des environs. Le samedi et le dimanche, les enfants le suppliaient de les emmener dans les fermes et les maisons du village, si excitantes à découvrir : on y voyait la vie de près, les bébés assis par terre qui braillaient, les mères derrière leurs fourneaux, yeux cernés et cheveux ternes relevés en chignon. Souvent, même, on s'aventurait loin, on allait par les rangs, jusqu'au bout des terres où il n'y a plus rien. Les enfants restaient derrière leur père, les uns contre les autres, absorbés par le spectacle qui leur était donné à voir : c'était un petit garçon avec une très grosse tête, bavant dans un coin, une femme en sueurs allongée sur son lit, un vieillard fermant les yeux sur sa vie. Dans ces maisons-là il y avait des odeurs de sang et de mauvaise soupe. Et puis il y faisait froid. Le vent sifflait par les fissures des carreaux poussiéreux et la neige s'accumulait parfois au point d'obstruer la moitié des fenêtres. Alexandre parlait de l'hiver qui serait long mais qui finirait bien par finir. Avec son sourire et ses yeux pleins de lumière il redonnait l'espoir.

– Il y a des patates en masse, non? Avec des oignons, c'est bon. Il n'en faut pas plus pour être en santé.

La femme et l'homme souriaient sans rien dire puis jetaient un œil à leur petit garçon : il jouait avec une pelote de laine, la tournait dans tous les sens, la portait à sa bouche puis très près de ses yeux. La laine n'avait plus de couleur, elle était toute moussue. Marie et Thérèse pensaient que même leur mère, qui pourtant tricotait très bien, et très vite, n'auraient rien pu en tirer. Tout à coup l'enfant poussait une sorte de cri, sa tête oscillait, il gigotait et bavait de plus belle. Ses parents baissaient les yeux.

– Dites-vous qu'il ne souffre pas, disait Alexandre. On ne sait pas pourquoi les choses sont, mais elles sont pour quelque chose.

Jean pensait que son père était philosophe et Bruno vibrait à sa bonté. Car le «docteur Sacha», comme on l'appelait, était bon comme dans les livres, vraiment bon et dévoué, toujours en route vers ses malades, toujours disponible, à l'écoute de leur peine et vigilant dans ses paroles : des paroles de paix, d'espérance, les seules pouvant être prononcées dans ces maisons-là, fragiles et nues, mais dans lesquelles la joie parvenait à se faufiler.

– Bon, Madame Leblanc. Passons aux choses sérieuses.

Alexandre aidait la femme à s'allonger avec une grande douceur, s'assoyait à ses côtés, ouvrait sa trousse. Si c'était l'été, les enfants allaient jouer dehors, sur son ordre. Ils en profitaient pour fureter dans le hangar et examiner les instruments agraires dont il ne connaissait pas l'usage. Mais ils préféraient l'étable, les vaches aux yeux vitreux, les poules qui couraient dans leurs pattes, le gros chat roux. Bientôt le docteur les y retrouvait, accompagné de l'homme qui, en une seconde, faisait d'une poule vivante une poule morte. Il faudrait la manger le soir, «n'est-ce-pas docteur Sacha?».

L'hiver les enfants s'ennuyaient car ils ne sortaient pas de la maison. Ils restaient dans l'entrée, un peu gênés : Monsieur Leblanc n'avait plus de poule à tuer, il gardait les yeux baissés et ses grosses mains rouges bien à plat sur la table tandis qu'Alexandre chuchotait derrière, avec la femme malade.

Dans la voiture, sur le chemin du retour, les enfants parlaient tous en même temps. Alexandre ne les faisait pas taire; il aimait être avec eux, sentir leur joie, les entendre vivre.

– Qu'est-ce qu'elle a Madame Leblanc, papa?

C'était souvent Jean qui répondait aux questions de Thérèse. Il était assis devant, aux côtés de son père. Sa sœur avait insisté pour ne pas être derrière, invoquant son droit de «plus petite», et s'était glissée entre eux.

– Un ulcère, déclarait Jean.

– C'est quoi un ulcère?

– Une plaie purulente.

– C'est quoi purulent?

– Qui coule.

Les enfants hurlaient de dégoût.

– Et ça fait mal?

– Bien sûr que ça fait mal, murmurait Alexandre. Mais ça se guérit.

– Oui mais quel genre de mal? Est-ce que ça pue?

Marie et Bruno avaient la banquette arrière toute à eux. Ils regardaient chacun de leur côté, la tête contre la vitre. Puis, au fur et à mesure de la description des maladies, descriptions savantes de Jean, succintes d'Alexandre, ils se rapprochaient jusqu'à se toucher et restaient impassibles comme deux chiens de faïence. Il arrivait que Marie prenne la main de Bruno et la garde dans la sienne. Ils demeuraient ainsi, tranquilles. Alors elle se penchait et murmurait à l'oreille de son frère:

– Hématome, symptôme, syndrome.

Quelques secondes passaient et Bruno se tournait vers elle:

– Hystérie, idiosyncrasie, diphtérie...

Marie disait «c'est bien» avec une expression grave, et la chaleur se répandait dans le cœur de Bruno.

Enfin la voiture s'avançait dans l'allée de la maison. La nuit tombait. Berthe ne tardait pas à sortir sur la galerie. Elle courait vers eux et manquait de trébucher devant la portière du conducteur. Dans sa main elle tenait une casserole, ou un livre; autour de son poignet un bout de laine lui rappelait qu'elle devait raccommoder une chaussette de Jean avant qu'il reparte au collège et elle avait fixé une épingle à couche à son corsage.

– J'étais dans tous mes états! gémissait-elle, les yeux ronds. Où étiez-vous? J'ai couru jusqu'au village, j'ai alerté les Fontaine! Mon Bruno! Ma Thérèse! Jean! Marie...

Elle ouvrait la portière puis, fébrilement, coincée entre Alexandre et le volant, elle agrippait les bras des enfants.

– Voyons Fillon! s'écriait Alexandre en la repoussant. Calme-toi donc! Tu sais bien qu'on a fait les visites!

Il sortait de la voiture, les enfants se dispersaient et lorsqu'on se retrouvait à table, une heure plus tard, Berthe leur demandait ce qu'ils avaient fait de leur après-midi. Après le repas, elle jouait du piano pour les endormir (ils couchaient à l'étage, les filles dans leur chambre, les garçons dans la leur) et ne s'apercevait pas qu'en jouant dix fois le même morceau elle faisait en sorte qu'ils se relèvent pour épier ce qui, invariablement, se produisait : Alexandre sortait de son cabinet et chuchotait, excédé : «Maudit! Berthe! Vas-tu jouer ça toute la nuit?».

Berthe se mettait à la *Sonate au clair de lune*. Cette fois les enfants ne tardaient pas à s'endormir, l'esprit rempli des images de la journée. Ils avaient le cœur serré ou envie de rire. La vie était loin d'être simple et ils le savaient très bien.

IV

Les enfants partant faire les visites avec leur père, se baignant dans le Richelieu, y patinant l'hiver, se chamaillant autour de la table ou s'esclaffant aux folies de l'oncle Arthur (un prêtre séculier, plus comédien que mystique), c'était rare. Bruno était pensionnaire cinq jours sur sept à l'internat de Belœil et Jean poursuivait depuis peu son cours classique à Montréal, chez les jésuites. Marie et Thérèse ne le voyaient qu'aux vacances de Noël, à Pâques, l'été, à l'Action de Grâces ou lors de quelque décès dans la famille, ce qui les obligeait à s'entasser à quatre sur la banquette arrière de la voiture (l'oncle Arthur restait devant, avec Berthe et Alexandre), et à se rendre à Québec dans des conditions parfois épiques.

Une fois, au mois de janvier, la grosse *Buick* s'était brusquement immobilisée sur la route sombre et verglacée, au milieu d'une forêt de sapins. Alexandre avait maudit l'hiver, Berthe aussi, tandis qu'Arthur demandait aux enfants s'ils n'avaient pas froid. À moins vingt degrés *Farenheit* sous zéro, à sept heures du soir et alors que le blizzard faisaient ployer les arbres, ils grelottaient bien évidemment. Ce soir-là, malgré les cris des enfants et ceux d'Alexandre – «Voyons Arthur! Es-tu fou?» – l'oncle avait retiré son manteau et l'avait déposé sur les genoux des filles. La vision d'Arthur en soutane, par ce temps, avait frappé les imaginations, et particulièrement celle de Jean qui ne s'était jamais figuré que son oncle prêtre puisse réagir avec autant d'altruisme. Depuis qu'il étudiait chez les jésuites, jamais il ne lui avait été donné, même furtivement, d'apercevoir un père en situation de crise. D'ailleurs Jean n'était pas loin de croire qu'il n'y en avait jamais. Les pères étaient différents : l'ordre religieux, en plus de les rendre parfaits, leur épargnait les façons et vicissitudes du monde laïque que lui-même quitterait bien un jour pour un univers plus élevé, spirituel, différent en tout cas de cette foire à laquelle il était forcé de participer en plein semestre scolaire! Tout à coup, Alexandre avait dit :

– Jean! Ouvre ma trousse et donne-moi le flacon d'alcool.

La trousse contenait des seringues, des bandes *Velpeau*, des flacons pleins de liquide jaunâtre, des cachets, un stétoscope...

– Dépêche-toi donc!

Alexandre avait versé l'alcool dans le réservoir à essence. La voiture avait redémarré et la famille était enfin arrivée à Québec, chez une sœur de Berthe, Yvonne, la tante préférée des enfants à cause de la nombreuse famille qu'elle avait engendrée. Cette nuit-là, elle leur avait servi de la soupe aux pois – à minuit! – en ne cessant de répéter que ces aventures démentes n'étaient bonnes qu'à donner des rhumatismes ou à attraper des fièvres thyphoïdes ce qui, en effet, avait frappé Thérèse peu après.

Cependant ces expéditions burlesques enchantaient les enfants. Leur plus grand plaisir était de se raconter leurs souvenirs et d'en comparer les versions. Si leurs récits s'opposaient, ils se disputaient, surtout Jean et Thérèse, qui ne supportaient pas la contradiction. Quand ils haussaient le ton pour imposer leur autorité, Marie prenait discrètement la main de Bruno et s'éloignait avec lui. Ils avaient tous des mémoires extraordinaires, le sens du détail et une nette tendance à exagérer. Certains des événements marquants de leur vie revenaient systématiquement dans leurs conversations, comme la fois où Bruno avait décrit à l'oncle Arthur le poisson qu'il avait pêché, aussi long que l'espace entre ses bras qu'il tendait de chaque côté de son corps. Arthur l'avait écouté avec le plus grand sérieux, puis il avait dit : «Mais es-tu bien certain, Bruno, que le poisson que tu as pêché était aussi grand que cela?». Et Bruno avait peu à peu rapproché ses bras jusqu'à ce qu'il n'y ait entre eux qu'un espace de la dimension d'un poisson rouge.

Cette imagination fertile leur venait surtout de leur mère. Du reste, ce qu'elle racontait était peut-être vrai. À six ans, n'en pouvant plus de s'ennuyer de ses parents, elle avait fui le couvent de Lévis en faisant croire au cocher que la révérende mère lui ordonnait de la ramener auprès de ses parents «bien malades». Berthe précisait que cela se passait au beau milieu d'un hiver particulièrement rude, et que cela ne l'avait pas empêchée de réussir cet exploit! Elle racontait aussi que sa grand-mère était arrivée au Canada à l'âge de huit ans. Celle-ci avait fait le voyage depuis la France avec son frère : un mois au fond d'une cale, au milieu de gens fuyant une terre pour en affronter une autre avec, dans leurs poches d'orphelins, des louis d'or.

Quand les enfants réclamaient des histoires, Berthe s'enflammait, ne tarissait pas de détails, mimait des scènes et leur faisait pénétrer un monde qui leur semblait vieux d'un siècle. Leur mère était un véritable personnage de roman, mystérieux, et ils se plaisaient à répéter à leurs amis qu'elle avait vu «de ses yeux vu» le pont de Québec s'effondrer dans le fleuve Saint-Laurent. C'était en 1905, le pont était alors en pleine construction et les hommes qui le bâtissaient en étaient tombés en poussant des hurlements. Les eaux du fleuve s'étaient instantanément refermées sur eux et beaucoup d'enfants avaient ainsi perdu leur père. À Québec le bruit avait bientôt couru que des lingots d'or avaient été cachés dans la charpente du pont. Une atmosphère d'angoisse pesait sur la ville, et on pensait aux fantômes qui hantaient désormais les rives du fleuve. Mais Berthe se souvenait surtout d'une nuit que les enfants appelaient «la nuit du mort». Un homme en détresse avait réveillé la famille en courant autour de la maison. Il était vraisemblablement poursuivi par quelqu'un, et frappait aux portes. Quand le père de Berthe ouvrait la porte de devant, l'homme avait disparu et on l'entendait bientôt frapper à la porte arrière. Selon Berthe le manège infernal avait duré une partie de la nuit et, au matin, on avait retrouvé l'homme dans le jardin, gisant à plat ventre, une grande gaffe plantée dans le dos. Jean disait à Marie que cet homme avait retrouvé l'or du pont et qu'on l'avait tué pour s'approprier son trésor. Chaque fois que l'on relatait cette tragédie, Marie souffrait pour cet homme-là. Il lui arrivait même de prier pour lui. Elle l'imaginait beau et jeune, un vrai chevalier comme celui qu'elle attendait déjà confusément, et auquel elle avait donné un visage.

Berthe racontait aussi, et souvent, que son père était mort en un instant, un dimanche, alors que toute la famille s'apprêtait à aller à la messe. On l'avait retrouvé dans le vestibule, assis dans un fauteuil. Il avait simplement l'air de dormir. Peu de temps avant, en ouvrant la porte de la garde-robe de sa chambre, elle avait aperçu une tête de cheval blanc la regarder fixement. Cette vision l'avait terrifiée, et puis la tête avait disparu. Cet événement étrange était survenu le jour où les voisins, les O'Brien, avaient perdu leur fille. Elle avait treize ans, se nommait Mary, et Berthe devait toujours se souvenir de l'avoir vue allongée sur le canapé, vêtue d'une robe blanche à collerette noire – une vivante aux yeux fermés. Chaque fois que sa mère lui décrivait la douleur qu'elle avait ressentie, Marie avait le cœur déchiré.

Il n'y avait pas de question à poser, ni de sens à découvrir à ces histoires. Elles faisaient partie de Berthe, de sa vie, elles étaient Berthe elle-même et habitaient maintenant l'esprit des enfants mais surtout celui de Marie, qui découvrait en ces morts des compagnons, et en cette Mary qui portait son prénom une sorte de préfiguration d'elle-même.

V

Le soir, quand tout le monde était couché, Marie se relevait. Par la fenêtre de sa chambre, elle contemplait Saint-Hilaire. La masse noire et effrayante du mont Belœil se reflétait dans la rivière et se détachait du ciel, bleu foncé quand il faisait très froid l'hiver, rose et poudreux quand il allait neiger. Marie connaissait le Richelieu par cœur, la douceur de son eau quand elle s'y baignait l'été et le miroir qu'il devenait l'hiver et qu'elle y glissait, en patins, en traîneau, ou tout simplement sur ses bottes. Cette rivière coulant sans cesse devant elle faisait partie de sa vie ; elle évoquait l'éternité et le «toujours-jamais» de l'enfer ou du paradis que décrivaient les sœurs des Saints-Noms-de-Jésus-et-de-Marie. Pas un jour ne passait sans que Marie marche le long des arbres qui bordaient la pente raide menant à la berge : les peupliers en rang d'oignon, les saules pleureurs, un chêne, des érables. Lorsque l'automne teintait leurs feuilles, elle en choisissait une jaune, une rousse, une cuivrée, une rouge sang et les glissait au milieu des encyclopédies de médecine de son père. Il y en avait qui étaient restées là pendant des années. Quand Marie les avait retrouvées et les avait retirées des livres, certaines s'étaient effritées – petit tas de poussière comme les humains quand ils meurent. «Tu es poussière et tu redeviendras poussière!», déclarait doctement l'oncle Arthur quand, à bout d'arguments, il se levait de table. Puis il se mettait à valser avec une lampe sur pied et relevait sa soutane. Alors les enfants s'écriaient : «Oncle Arthur! Oncle

Arthur! On voit tes chaussettes!». Arthur faisait semblant d'éclater en sanglots et Marie se levait souvent pour le consoler.

Ce soir-là, debout devant la fenêtre, pieds nus sur le parquet, elle contemplait les arbres noirs et leurs branches pointées vers le ciel comme des bras calcinés. Elle pensait aux gens qui avaient vécu tout contre ce mont Belœil, et surtout aux Neuville, des Anglais venus s'installer à Saint-Hilaire cent ans plus tôt, et dont le manoir impressionnait encore la population des environs. C'était une immense maison de briques rouges, avec des tourelles, des galeries, cinquante fenêtres et autant de secrets qui ne franchiraient jamais ses vitres – une image de l'Angleterre victorienne. À Belœil et à Saint-Hilaire, on racontait que les Neuville avaient perdu leur fille un soir d'hiver, et que son spectre errait toujours. Quand Marie avait demandé à son père de quoi exactement cette jeune fille était morte, Alexandre avait répondu : «Elle est sortie dans la tempête malgré l'interdiction de ses parents. La nuit, elle a été prise de fièvre et le Bon Dieu l'a emmenée avec lui».

Devant la fenêtre aux carreaux givrés, Marie pensait une fois de plus à la fille des Neuville et refusait de croire qu'elle était morte avant même d'avoir commencé à vivre vraiment. Dans cette famille, croyait-elle, il y avait eu quelque chose que l'on tait, quelque chose du même ordre que ce qui se passait dans la famille d'Hubert Vanier : une sorte d'histoire honteuse qui rend tous les adultes nerveux quand elle retombe sur le tapis. Marie s'était quelquefois risquée à demander à ses parents pourquoi en plus d'être enfant unique (une curiosité), Hubert n'avait pas de père. On répondait que Monsieur Vanier travaillait dans un autre pays et, quand on se trompait, on en faisait un vétéran de la grande guerre enfermé à l'hôpital de Sainte-Anne-de-Bellevue.

Un jour, sur la demande de Berthe, Marie était allée à bicyclette chercher du pain à la boulangerie du village. C'était au printemps et elle s'était amusée à rouler dans les flaques d'eau. Quand elle était entrée dans la boutique de Madame Poirier, celle-ci parlait avec une cliente. «Eh ben, bon Dieu! disait-elle. Ça fera une divorcée de plus, comme Madame Vanier!» Marie avait reçu le mépris de la remarque en plein cœur et baissé les yeux, comme si on l'avait attaquée, elle. Si elle avait pu, elle serait partie en courant consoler Hubert. Mais le consoler de quoi? Elle ne connaissait pas la signification du mot divorcée.

– Tu es là depuis longtemps Marie?

En posant la question, la boulangère avait jeté un regard gêné à sa cliente. Et Marie avait déclaré, bien calmement :

– J'arrive à l'instant. Ma mère voudrait un gros «pain fesse» s'il-vous-plaît.

La boulangère lui avait tendu le pain en la sermonnant :

– Il ne faut pas écouter les conversations des grandes personnes, Marie. C'est très impoli.

Marie était sortie de la boutique en se sentant coupable de ne pas savoir de quoi elle était coupable. Sur le chemin du retour, elle avait traîné un sentiment de honte et n'avait plus roulé dans les flaques d'eau. Elle avait de la peine, Hubert lui faisait pitié, elle se sentait démunie. Dès qu'elle avait contourné l'angle de la maison, elle avait jeté sa bicyclette par terre et respiré profondément pour se donner du courage. Dans la cuisine, elle avait trouvé Berthe occupée à lire son avenir dans les cartes étalées sur le comptoir. Son regard était lointain et encore mouillé des larmes qu'elle avait versées. Alors Marie avait cessé de penser à Hubert.

– Qu'est-ce-que tu as maman? Tu es triste?

Berthe avait éclaté en sanglots. Ce n'était que la difficulté de vivre, et d'être. Marie ne pouvait pas comprendre à quel point il pouvait être dur de tout simplement accepter son sort, elle qui pouvait encore se réjouir de glisser sur la glace, de jouer du piano, de voir Paulette ou d'être assise à côté de Bruno, le dimanche, à l'église.

Ce soir-là, malgré le souffle régulier de Thérèse et ses parents couchés dans la chambre à côté, Marie sentit la peur s'emparer d'elle. Dans la pénombre, elle ouvrit doucement la porte de la penderie, se haussa sur la pointe des pieds et saisit le *scrap book* qu'elle rangeait sur la tablette du haut, sous une petite valise dont elle ne se servait que pour aller chez ses tantes à Québec. Puis elle déposa le grand cahier sur sa commode et l'ouvrit en plein milieu, là ou elle n'avait pas encore collé de photos d'acteurs et d'images saintes, ni rien dessiné, ni rien noté. Et, comme si on l'y avait poussée, elle écrivit : «Je pars, mais je reviendrai».

VI

L'hiver s'écoula comme d'habitude, dans la maison remplie de livres et de partitions de musique, ou bien dehors, au grand froid. Le jeu de prédilection fut d'atteler le chien Tommy à un traîneau et de glisser sur la neige pendant des heures. Mais comme il n'y avait que deux places dans le petit traîneau, Thérèse se plaignit souvent à sa mère «que c'était toujours Marie et Bruno qui faisaient le plus de tours et qu'elle était toujours toute seule».

Marie et Bruno, en effet, profitaient du dernier hiver qu'ils passeraient ensemble car en septembre (heureusement c'était encore très loin!), Bruno entrerait à son tour chez les jésuites. Il deviendrait alors presque un étranger, comme Jean, et susciterait peut-être le même malaise quand il reviendrait chez lui, une fois par mois, lors des congés. Bruno les entrevoyait déjà comme des permissions de militaire : il retrouverait son lit, ses parents, ses sœurs, une vie qui ne lui appartenait plus, qui ne lui appartiendrait jamais plus et Marie comprenait l'angoisse qui le prenait à l'idée de vivre cela. Elle disait : «Ce n'est pas pour tout de suite. Essaie de ne pas y penser». Mais Bruno y pensait quand même, Marie aussi, et cela chaque jour du compte à rebours.

Déjà, quand il revenait de l'internat de Belœil, le vendredi soir ou le samedi matin, il arrivait qu'il se traîne toute la journée. Son cœur était lourd comme une pierre, il était las dès le matin et mangeait sans appétit. À table, Berthe posait sa main sur son front : «Tu n'as pas de fièvre, déclarait-elle. Est-ce qu'il y a quelque chose qui te tracasse?». Comment aurait-il pu confier à sa mère ce qui lui triturait le cœur? Un gouffre se creusait à l'intérieur de lui dès qu'il se mettait à penser trop intensément à ce que Jean lui décrivait au compte-goutte, quand il daignait lui faire part de son monde. Ils avaient quatre ans d'écart, c'était beaucoup. Ainsi, au Brébeuf, il était même possible qu'ils ne se croisent jamais et Bruno se sentirait encore plus seul. Onze ans lui paraissait l'âge le plus horrible qu'on puisse avoir : il signifiait l'entrée au collège, la fin de l'enfance, un grand coup de sabre dans son existence. Le 22 août, c'était ce qui l'attendait. Et ce jour-là, Marie aurait treize ans. Le chiffre porte-malheur.

Jean passait un dimanche par mois à la maison. Quelques jours avant, Berthe disait : «Jean vient dimanche! Il faut lui faire une fête». Elle préparait ses plats préférés, remplissait de biscuits de petites boîtes en forme de cœur, lui tricotait une tuque et des mitaines. Et puis le dimanche tournait à la catastrophe. Une dispute éclatait entre eux, parfois à la suite d'une phrase malheureuse. Berthe essayait maladroitement de recoller les pots cassés, Jean demeurait fermé comme une huître, tout le monde était malheureux quand il repartait et Berthe pleurait pendant deux jours.

Un dimanche de février fut particulièrement affreux. À la fin de la journée, Jean refusa de retourner au collège et il se mit à sangloter au moment où Berthe l'aida gauchement à attacher son foulard «pour qu'il ait chaud dans la voiture». «Laisse-moi tranquille! Tu comprends rien! Tu comprends rien!» dit-il en la repoussant. Ses yeux étaient pleins de colère et de désespoir – ceux d'un innocent qu'on va pendre. Berthe répétait : «Mon Dieu! Mon Dieu! Mais qu'est-ce que j'ai fait? Qu'est-ce que je peux faire?». Alors, après avoir usé de compréhension,

Alexandre dit à Jean de monter dans la voiture. Berthe resta longtemps prostrée dans la cuisine et ne répondit pas aux questions que ses enfants lui posaient. Ce jour-là, Bruno eut la preuve que Brébeuf était assurément un enfer et se séparer des siens un martyre. Les crises de Jean lui paraissaient normales et légitimes et il ne fut pas surpris lorsque, trois semaines plus tard, son frère revint à la maison avec une grippe carabinée.

Peu après ces événements, Bruno fut lui aussi pris de fièvre. Un soir, Marie le surprit en train de pleurer dans sa chambre. Elle s'assit aussitôt à ses côtés, le serra contre elle et l'engagea à parler. Mais Bruno gardait la tête baissée. De temps en temps Marie se relevait et jetait un coup d'œil dans le corridor. «Ils sont en bas, Bruno. Dis-moi, dis-moi!» Mais il haussait les épaules. Alors Marie murmura :

– Je sais qu'on va être séparés l'année prochaine. Mais moi je ne t'oublierai jamais. Je vais t'écrire, je vais t'envoyer des petites choses et puis tu sais bien qu'il faut obéir. C'est la seule voie.

Bruno n'était pas d'accord. Il ne serait jamais d'accord avec Marie sur ce point-là, même s'il lui obéissait sans même s'en rendre compte. Cette histoire de collège était révoltante, inhumaine, inacceptable! Et il trouvait ses parents cruels – fous! – de le condamner à cette horreur. Sa fièvre était un appel au secours. Pourtant, dès qu'il fut guéri, on le renvoya à l'internat en lui recommandant de redoubler d'efforts pour rattraper le temps perdu de façon à «ne pas être à la traîne en éléments latins, à l'automne, chez les jésuites». Ainsi, même de loin, les robes noires empoisonnaient son existence et grugeaient la fin de son enfance, comme des vautours.

Cet hiver-là, Bruno ne comprit pas que sa sœur souhaite devenir pensionnaire «pour faire plus de piano». Pourtant Marie se tortura beaucoup à l'idée d'en parler à ses parents. C'était la seule solution qui lui permette de poursuivre sérieusement ses études de musique, ainsi que le lui avait fait comprendre sœur Angèle : «Vous avez du talent, Marie. Vous devez donc travailler plus fort encore. Or cette année les leçons auront lieu à l'heure même où vous prenez l'autobus pour rentrer chez vous. Je ne vois pas d'autre façon que de...». Il s'agissait ni plus ni moins d'annoncer à ses parents qu'elle désirait les quitter. Et pourtant ce n'était pas ça! Partir était un sacrifice. Être privée de sa chambre, de la présence de Thérèse et des siens pendant toute la semaine serait loin d'être drôle. Mais si cette séparation lui permettait d'être assez bonne, dans quelques mois, pour exécuter certaine pièce de Bach ou de Chopin qu'elle brûlait de jouer convenablement, surtout sur le *Steinway* de Madame Vanier, elle était prête à offrir à Dieu les difficultés qu'il faudrait surmonter.

Après quelques jours de réflexion, ses parents refusèrent. On venait de terminer le dessert, un *pudding* aux pommes, et, du même coup, décidé d'un destin. Marie ne doutait pas que sa «santé» ait compté pour beaucoup dans ce non sans appel. Pendant plusieurs jours, elle n'eut pas d'entrain, délaissa même son piano et cessa d'écrire dans son journal intime. Thérèse la talonnait en la pressant de questions: «Qu'est-ce que tu as Marie? Qu'est-ce qui se passe?». Comme elle se heurtait au silence de sa sœur, elle interrogeait sa mère : «Pourquoi Marie est triste?». Berthe ne lui répondait pas non plus et puis, du jour au lendemain, rappelée à l'ordre par sa devise de l'année 1942 – l'obéissance – Marie retrouva son sourire. Pourtant cette déception brisa en elle quelque chose qui ressemble à l'élan. Un voile se jeta sur sa vie, occultant tout un pan de lumière, à l'horizon, et son chemin devint plus étroit.

Mais la vie reprit. Marie suivait la leçon de piano du jeudi matin, avec sœur Angèle. Pour le reste, Berthe s'en chargeait : elle initiait sa fille à Beethoven et à Liszt, corrigeait son doigté et lui apprenait à utiliser les pédales le moins possible. Parfois Henriette Lepoutre les accompagnait au violon. C'était un grand honneur pour Marie, car la mère de Paulette jouait divinement bien et tout le monde à Belœil s'accordait à dire qu'elle aurait pu être violoniste de concert, comme Berthe, au demeurant, aurait pu faire carrière de pianiste ainsi qu'on l'avait chuchoté, jadis, dans les maisons de la haute ville de Québec. Mais, un soir de bal masqué (Berthe était déguisée en Beethoven), tout avait basculé : la jeune pianiste avait rencontré un médecin tout récemment diplômé, l'avait épousé et suivi dans des campagnes éloignées où il exercerait. Berthe et Alexandre avaient vécu deux ans dans un village, deux ans dans un autre, et puis encore dans un autre. Chaque fois, le piano suivait. Dans une des maisons, il avait même fallu le sortir par la fenêtre du premier étage car il ne passait pas dans les escaliers. Berthe surveillait les opérations du perron en s'inquiétant d'avance et, en effet, les hommes avaient laissé échapper le piano. Il s'était écrasé sur le chemin de terre dans un fracas épouvantable. Berthe avait hurlé en se précipitant sur la boîte fendue – une épave bonne à brûler. Dès qu'Alexandre avait fait un peu d'argent, à Montréal, il avait acheté un *Heintzman*, mais Berthe n'avait jamais oublié le piano que sa mère lui avait offert à l'époque où elle avait commencé à être sollicitée par une station de radio pour jouer dans une émission culturelle.

Plus tard, quand Marie disparut, Bruno s'en voulut d'avoir souhaité dans son cœur que le pensionnat lui soit refusé. Il adorait qu'elle joue du piano, le lui demandait souvent et il ne faisait aucun doute à ses yeux que sa voie était la musique. Et puis, du jour au lendemain, l'avenir de sa sœur s'était effondré. Bruno était-il responsable d'avoir eu peur de perdre Marie, de vivre sans sa présence et sans le don qu'elle avait de ramener la paix et les sourires sur les visages quand tout le monde se mettait à crier pour rien? Il l'avait toujours un peu considérée comme son ange-gardien, et qu'elle ait voulu quitter la maison quelques mois seulement avant que lui-même y soit contraint l'avait consterné. C'était presque une trahison. Il était incapable d'imaginer qu'elle désirait découvrir, vivre, s'accomplir, même sans le savoir elle-même. Au demeurant, grâce à sa longue fièvre, il avait retrouvé le visage de sa sœur penché au-dessus du sien, sa main épongeant son front, caressant ses cheveux et remontant la couverture jusqu'à son menton. La Marie de sa petite enfance lui était revenue, comme une morte revient en rêve, plus vivante que dans la vie.

En février, au moment de la messe des quarante heures au couvent de Belœil, Marie put se faire une idée de la condition de pensionnaire. Toutes les filles couchaient dans le même dortoir et priaient toute la journée pour la paix, le repos des âmes du purgatoire, le rachat des pécheurs, les défenseurs de la patrie. Est-ce que ça réussissait? Y avait-il moins de morts et moins de malheureux? Au couvent, Marie se réveillait le cœur serré. Elle pensait à sa mère. Et tandis qu'elle descendait frileusement les escaliers de bois, parmi les élèves en rang, déjà prête à prier pendant des heures, à genoux – Dieu qu'elle était fatiguée! – elle voyait Berthe descendre l'escalier de la maison. Elle portait sa robe de chambre à grosses pivoines, tenait dans ses mains un livre ou sa boîte à ouvrage. Bientôt la cuisine sentirait le café, et les toasts. Alors il tardait à Marie de retrouver la maison, son piano, les histoires que sa mère lui racontait et elle reconnut que ses parents avaient peut-être eu raison de ne pas lui avoir permis d'être pensionnaire.

Un jour de grêle, peu après, Marie surprit Berthe en train de pleurer dans la salle à manger. Ce n'était pas sa peine habituelle, floue, mêlée d'angoisse. C'était des sanglots de petite fille.

– Maman?

Berthe la regarda, les yeux pleins de désespoir.

– Tu pleures à cause de papa?

– Mais non, dit-elle en se mouchant.

Puis elle se releva péniblement.

– Alexandre fait ses visites.

Pourquoi sa mère lui faisait battre le cœur comme ça? Quand Berthe avait ces yeux-là, Marie appréhendait qu'on lui dise une chose horrible comme : «Tu vas t'en aller d'ici» ou «Ton père va mourir». Mais sa mère murmura : «Ce n'est rien... Ce n'est rien». Du temps passa. On entendait le tic-tac de l'horloge du salon et le bruit des grêlons sur le toit. Puis Berthe dit : «Je vais te raconter une histoire». Alors elle sécha ses larmes et retrouva assez d'entrain pour préparer du pain doré.

– Quand le pont de Québec est tombé, j'avais trois ans, souffla-t-elle. Beaucoup d'hommes sont morts noyés. La plupart étaient des Anglais ou des Irlandais venus au Canada trouver du travail. Tu imagines tous ces pères de famille? Leurs corps engloutis dans le Saint-Laurent? Et leurs femmes au désespoir? Tout le monde s'est donné la main et beaucoup d'enfants ont été adoptés par des familles françaises... Beaucoup d'enfants ont été séparés les uns des autres.

En effet, c'était triste. Marie imagina qu'Alexandre se noie dans le Richelieu et qu'elle soit séparée de Bruno pour aller vivre, par exemple, chez les Lepoutre. Être arrachée à sa famille serait affreux mais plus encore que Bruno se retrouve brusquement seul, loin de celle qui s'en était toujours occupée comme une sorte de deuxième mère.

– Alors? demanda Marie.

– Alors, des années après que ces enfants furent adoptés, il y a eu un drame à Québec. Deux jeunes gens de la haute ville se sont rencontrés et sont tombés amoureux. Quand la famille de la jeune fille apprit qui elle fréquentait, il lui fut interdit de le voir.

– Mais pourquoi?

– Ce garçon était tout simplement son frère. Ils avaient été séparés dans leur enfance, à cause du pont.

– Mon dieu! s'écria Marie.

Berthe se concentra sur son pain doré.

– Tu en veux une tranche ou deux tranches, Marie?

– Et la jeune fille? Est-ce qu'elle a fait comme tante Berthilie? Berthe planta gravement ses yeux dans ceux de Marie.

– Non. Plus tard elle s'est mariée. Elle a eu des enfants. Mais de temps en temps, elle pense à son frère et elle s'ennuie de lui.

Berthe caressa les cheveux de Marie presque solennellement et l'abandonna dans la cuisine. Du temps passa puis Marie s'en alla dans le salon pour jouer du piano. Elle trouva sa mère endormie sur le divan, recroquevillée sur elle-même, face contre les coussins, un plaid sur ses pieds. Une triste vision qui lui revint souvent à l'esprit.

Au printemps, Marie tomba malade à son tour. Elle souffrait de son épaule, de ses coudes, mais surtout de ses côtes, et cela affectait sa respiration. Une fois de plus, il lui fut interdit de se lever de son lit. Elle resta donc dans sa chambre pendant plusieurs jours et observa le printemps s'éveiller par la fenêtre fermée. On n'aérait que lorsqu'elle était enfouie sous un tas de couvertures. Début avril, lorsque le mot rhumatisme fut prononcé, tout le monde appréhenda que Marie subît l'épreuve dont Berthe avait été accablée quelques années auparavant. À cause d'un rhumatisme déformant, ses mains et ses doigts étaient devenus crochus comme ceux d'une sorcière. Parfois, au piano, elle fondait en larmes. Elle avait perdu de sa dextérité, peinait dans les passages difficiles et répugnait à regarder ses mains laides, des mains de vieille femme que, dès lors, elle s'était mise à cacher par tous les moyens. Ainsi Marie risquait de se retrouver avec une épaule tordue ou un coude énorme. Les enfants se figuraient les pires horreurs et ne se calmaient que lorsque leur père leur expliquait qu'avec du temps, des soins, du repos et son corps bien au chaud, Marie s'en sortirait. Pourtant, Marie resta couchée plus d'un mois et personne d'autre que son journal ne sut combien sa maladie la tourmenta. Le 25 avril, elle demanda à la Sainte Vierge de la guérir au moins pour le 1er mai. Mais elle dut attendre jusqu'au 5 pour avoir le droit de se lever. Ce jour-là, elle nota avec tristesse que son père était bien fatigué ; il s'était levé trois fois par nuit pendant trente-cinq jours pour venir lui administrer des calmants, lui préparer des compresses ou tout simplement vérifier si elle dormait. Enfin, le dimanche suivant, Marie déjeuna à table avec tout le monde sans pour autant avoir pu se rendre à la messe. Sur le chemin du retour, tout heureuse que Marie fût enfin sur pied, Thérèse dit à Paulette : «On a évité le pire car Marie aurait pu devenir bossue!». À ce moment-là, Bruno saisit le bras de sa sœur et lui ordonna de se taire.

Thérèse se dégagea brutalement.

– Qu'est-ce que tu as? Es-tu fou?

– Arrête de dire des choses comme ça, je t'avertis, espèce de méchante!

Sur ces mots la guerre fut déclarée et, dans la famille, deux clans se formèrent. D'un côté il y avait Jean et Thérèse, le grand qui protégeait la petite et, de l'autre, Marie et Bruno, nés le même jour à deux ans d'intervalle, inséparables pour cette raison et pour toutes les autres qui relèvent de l'âme. Ils n'avaient pas à parler pour se comprendre et encore moins à crier pour être entendus : ils étaient de la même espèce, comme deux lions solitaires, l'un à côté de l'autre, un roc entre Jean et Thérèse.

Tout cela se passait dans le murmure de l'été qui s'en venait, celui dont on allait toujours se souvenir, puisque ce serait le dernier.

VII

À douze ans, Marie ne passait pas inaperçue. Son sourire était franc, son regard décidé et, parce qu'elle était avenante, simple et rieuse, on s'approchait volontiers d'elle. C'était aussi pour la voir de plus près, car Marie était belle, bien plus belle que la plupart des jeunes filles de Belœil. Sa grande amie Paulette l'admirait en silence sans lui envier sa grâce. Elle l'aimait trop pour cela, et quand leurs mères leur achetaient des robes toutes semblables, sa joie était sincère. Ce printemps-là ce fut une robe à double col *Claudine* en vichy, bleue pour Paulette, bordeaux pour Marie. De petites merveilles qui dansaient sur les jambes, soulignaient la poitrine et laissaient, sous un coup de vent, deviner les cuisses fermes des enfants que Marie et Paulette étaient encore. Personne ne pouvait savoir que cette robe-là, que Marie voulut porter tous les dimanches de l'été, serait immortalisée sur sa photographie de défunte : un visage de jeune fille comme sortie d'un nuage, cheveux en vagues, sourire et yeux pleins de vie éternellement figés sur un petit rectangle de papier glacé. Des centaines de ces petits rectangles de papier glacé, avec ce sourire-là de Marie, lui survivraient bien plus longtemps qu'elle n'aurait elle-même vécu.

Paulette n'était pas seulement fascinée par la beauté de Marie. Quand elle marchait à ses côtés le long du Richelieu, devant les maisons cossues et les peupliers frémissants, elle lui proposait chaque fois de chanter ; Marie avait une jolie voix de soprano et roulait un peu les «r» comme le font les gens de Québec. Les deux filles chantaient souvent *Y'a d'la joie* de Charles Trenet. Puis elles parlaient de lui, de Maurice Chevalier, de la France, mais très peu de la guerre qui y avait lieu. Quand elles prononçaient les mots troupe, rationnement ou conscription, elles répétaient tout simplement des bribes des conversations de leurs parents.

– Mon père à moi a fait l'autre guerre, la grande, déclarait Marie. Il a eu une balle dans le pied. Et l'oncle Arthur aussi, il l'a faite. On a encore son sabre au-dessus de la cheminée.

Paulette se demandait si la balle qu'Alexandre avait reçue comme infirmier durant la guerre de 1914 avait été conservée dans quelque boîte en métal et s'il restait encore des traces de sang dessus. Le sabre avait été offert à Arthur, alors aumônier du 22ᵉ régiment, par une famille des Ardennes et il ne s'en était jamais servi pour se battre. La guerre que les deux hommes avaient vécue était un événement si lointain qu'il prenait une allure de légende pour Marie et Paulette, toutes préoccupées par les garçons qu'elles aimaient en secret.

Paulette se disait que si elle avait été jolie et rayonnante comme Marie, elle aurait pu attirer le regard aimant et même admiratif que Bruno et Jean posaient sur leur sœur. Mais Jean, aussi bouffon que taciturne, partait se baigner sans prévenir, lisait dans le grenier, accompagnait son père dans ses visites et fréquentaient des jeunes gens. Quant à Bruno, il était assez improbable qu'il s'intéressât à une fille de deux ans son aînée même s'il participait à tous les goûters que Marie organisait dans le jardin. Du reste, c'était un solitaire. Il ne traînait pas d'amis encombrants à sa suite. Mais quand Marie criait : «Bruno! Viens! On prend le thé!», il accourait même s'il savait qu'on boirait du chocolat au lait. Il était le frère que Marie protégeait depuis sa venue au monde, celui qui était né un 22 août comme elle, le seul qui avait les yeux bleus d'Alexandre.

Comme Paulette aurait voulu faire partie de cette famille! Plus tard, avec un peu de chance, elle épouserait Bruno ou Jean, surtout Jean, qu'elle trouvait si beau et si dur, et elle deviendrait la sœur de Marie...

Et Marie? Pensait-elle à quelqu'un? Paulette n'en doutait pas mais seule Berthe connaissait le garçon dont sa fille s'était éprise.

– C'est lui! avait-elle un jour chuchoté, en sortant de la mercerie.

Le grand brun qui marchait sur le trottoir d'en face ne l'avait pas regardée et Marie n'avait pas pu cacher sa déception. Berthe en avait eu le cœur serré. Le jeune garçon avait l'air seul, presque souffrant. À Belœil, on disait que c'était un Gitan et que le garagiste, qui n'avait pas eu d'enfant, l'avait adopté par charité. Quand Marie l'apercevait au garage, elle le dévorait des yeux, son cœur battait très fort et elle se torturait à l'idée de ne pas savoir comment approcher le seul garçon qui l'intéressait.

Car ceux qui se mouraient d'amour pour Marie ne la faisaient pas rêver : Jules, le frère de Paulette qui avait finalement jeté son dévolu sur Thérèse, Pierre, le fils des Fontaine, et surtout Hubert Vanier qui habitait dans une maison de bois datant du régime français, au toit pentu. Marie avait la permission de jouer sur le *Steinway* de sa mère. Le son qui sortait de cet instrument-là la ravissait. Elle s'interdisait même de chanter pour mieux entendre les accords qu'elle plaquaient sur les touches dures. Contrairement au piano de Berthe qui réagissait au moindre effleurement, le *Steinway* exigeait une toute autre touche, beaucoup plus ferme. Toutes les fois qu'elle allait chez Hubert, Marie apprivoisait le clavier en déplorant de ne pas pouvoir tirer de cette merveille tout ce qu'elle pouvait offrir. Pourtant elle s'imaginait déjà sur une scène, en robe noire, devant un public pressé de l'entendre.

– Allons jouer dehors, soufflait Hubert.

Mais Marie n'en avait que pour le piano et ne s'en détachait que lorsqu'Hubert le lui demandait pour la dixième fois.

– Qu'est-ce que tu veux qu'on fasse? demandait-elle.

Il n'osait rien proposer. La grâce et l'assurance de Marie lui faisaient perdre tous ses moyens.

– Alors viens chez nous, décidait-elle.

Et Hubert la suivait, heureux, le feu aux joues. Il arrivait même que ses yeux se remplissent d'eau, des yeux étranges, très longs, presque bridés, clairs et chatoyants. En marchant, Marie songeait au piano. Le retrouverait-elle bientôt? Pourrait-elle une fois seulement l'avoir bien à elle, à elle seule, un jour où, par extraordinaire, Madame Vanier ne serait pas chez elle? Alors elle donnerait le meilleur d'elle-même et dompterait le clavier. Ce serait un après-midi, Berthe inviterait Madame Vanier et Marie en profiterait pour se faufiler dans la maison avec Hubert, Hubert qui cherchait sa compagnie le plus souvent possible. Marie le sentait bien. Mais elle ne faisait que vivre, spontanément et cruellement, car il fallait faire comme elle avait décidé. Sa douceur et son sens de l'obéissance ne reprenaient le dessus que lorsqu'elle ne pouvait pas dominer une situation. Ainsi Marie passait pour avoir un caractère très agréable. Mais il ne fut jamais donné à personne de connaître la femme qu'elle aurait pu devenir.

VIII

En ce temps-là la vie était douce et passait lentement, réglée comme du papier à musique, harmonieuse même dans les moments de cacophonie. Chaque jour la joie convoquait les enfants. Leurs drames étaient passagers et leurs peines vite oubliées. Le dimanche les ramenait à l'église, le lundi à l'école, le samedi de nouveau à la maison. Cette ronde qui recommençait tout le temps n'était interrompue que par les vacances. En ce temps-là, le mot vacances possédait encore sa magie. Pendant les vacances tout pouvait arriver, on ne savait pas quoi, on savait seulement ce qui se passait dans son cœur : une euphorie particulière, un regard nouveau sur la montagne qui ne bougeait jamais, sur la rivière devant la maison, sur les routes qu'on avait empruntées mille fois avec Alexandre jusqu'aux maisons les plus isolées. Cette euphorie venait avec l'apparition des lilas, en mai quand l'hiver s'en était allé vite, en juin quand il s'était éternisé. L'odeur des lilas annonçait tout simplement le merveilleux, car alors toute la nature se réveillait, les arbres se couvraient de feuilles vert tendre, ça sentait la terre délivrée de la neige, les oiseaux pépiaient allégrement sur les fils des poteaux électriques. Au début de chaque été, devant ces rassemblements d'étourneaux, d'alouettes ou de moineaux, les enfants disaient : «Un mariage d'oiseaux! Un mariage d'oiseaux!», tout en s'interrogeant sur cet étrange banquet : il n'y avait rien à manger, et on était incapable de distinguer les mariés parmi les convives alignés qui regardaient à droite et à gauche sans bouger. En ce début de l'été 1942, Thérèse avait dit : «Et pourquoi ça serait pas un enterrement d'oiseaux?».

L'été amenait avec lui une impression de grande liberté. Plus de neige obstruant les routes, de froids obligeant les familles à demeurer calfeutrées dans leurs maisons pendant des mois, de manteaux et de bottes à enfiler dès qu'il s'agissait de mettre le nez dehors. Le plus grand bonheur de Marie était de marcher pieds nus dans l'herbe et de sentir les brins entre les orteils, frais, encore mouillés de rosée, et le soleil chaud traverser les vêtements légers.

En ce matin de juin, elle contemplait l'herbe et les fourmis qui circulaient entre les trèfles. Par endroits la terre était craquelée, à d'autres noire et poudreuse, à cause du travail des fourmis. Soudain Berthe ouvrit la porte de la cuisine et jeta un coup d'œil dans le jardin. Puis Marie l'entendit dire :

– Alexandre! Alexandre! Marie joue dehors pieds nus.

Elle soupira car elle savait qu'elle ne tarderait pas à voir son père arriver avec son regard sévère. Alexandre surgit en effet sur la véranda et descendit d'un pas nerveux les quelques marches qui menaient au jardin.

– Bon sens, Marie! Veux-tu aller t'habiller!

– Je suis habillée!

– Mets tes souliers et va chercher Thérèse. On s'en va.

On était samedi. Marie adorait les samedis. Tout au long de l'année, elle en profitait pour se reposer de sa semaine en imaginant la suivante. Mais aujourd'hui c'était le premier jour des grandes vacances.

– On va où?

– À Montréal.

La joie envahit Marie et tout se précipita dans son esprit. À lui seul, le voyage jusque-là était une aventure...

– Thérèse!

Marie entra dans la maison, monta à l'étage, ne trouva pas sa sœur, grimpa au grenier, ne l'y trouva pas non plus, redescendit dans la cuisine et pénétra dans toutes les pièces du rez-de-chaussée jusqu'à ce que Berthe la saisisse par le bras.

– Qu'est-ce qui se passe? Viens ici! Assieds-toi.

À la pensée de l'obéissance, sa devise, Marie s'arrêta et reprit son souffle le plus discrètement possible. Berthe lui caressa le front et lui prit les mains.

– Dis-moi.

– Je cherche Thérèse.

– Thérèse est partie chez les Lepoutre.

Marie se releva.

– Papa! Papa! Est-ce que Paulette peut venir avec nous?

Le regard de Berthe s'assombrit.

– Reste ici, je reviens, dit-elle en se dirigeant vers le cabinet d'Alexandre.

Peu après, Marie entendit des éclats de voix. Ainsi ses parents se disputaient encore. Pourtant, on l'appela :

– Marie! Prépare-toi!

Alexandre sortit de son bureau. Berthe le suivit en l'agrippant par la manche.

– Sacha!... gémit-elle.

– Quoi? Quoi encore?

Marie se retrouva entre eux.

– Je t'ai expliqué tout ce qu'il faut faire, Fillon! Quand Monsieur Lépine viendra, tu lui donneras le flacon que je t'ai indiqué. C'est pas plus compliqué que ça.

– Oui mais...

– Ça suffit!

Alexandre poussa doucement Marie.

– Dépêche-toi. Et va chercher Thérèse.

– Elle est chez les Lepoutre.

– Ah! Maudit!

Quand il était vraiment fâché, Alexandre prononçait «Maaauuudit!» et cela suffisait pour que Berthe disparût à l'anglaise. Mais cette fois, elle resta plantée derrière lui en espérant que ce contretemps lui fît changer d'idée.

– Envoie donc Bouley chercher Jean, dit-elle.

Bouley était l'homme à tout faire, un vagabond qui avait sonné chez eux un soir d'hiver. Sa barbe et ses cils étaient couverts de givre, des larmes avaient gelé sur son visage, il claquait des dents. Quand l'oncle Arthur l'avait aperçu, la scène s'était transformée en coup de théâtre : «Bouley! Bouley du 22e régiment! Tu n'es donc pas mort dans les Ardennes, vieux sacripant?!». Et Bouley n'était jamais reparti. Il vivait dans une chambre du garage et s'adonnait à diverses tâches. Les enfants l'adoraient, il faisait partie de la famille.

– Tu me fatigues, Berthe, s'écria Alexandre. Je ne te demande pas la lune! Juste recevoir un patient pendant que je vais chercher Jean. Je ne suis pas une pieuvre! Je ne peux pas tout faire à la fois! Donne-moi un coup de main pour l'amour de Dieu!

Mais depuis la nuit où Alexandre était parti accoucher une fille du village voisin (le travail avait duré quarante heures et un des triplets n'avait pas survécu), Berthe était traumatisée. Cette fois-là, elle avait été réveillée par un patient, justement. Il se couvrait la moitié du visage avec la main. Jadis, à Québec, en bonne jeune fille de son époque, elle avait fait son cours d'infirmière, mais en bonne jeune femme de son temps, elle n'avait jamais été obligée de travailler. Elle avait donc reçu le blessé sans aucune crainte, en robe de chambre, et l'avait fait asseoir dans le cabinet sans même lui faire enlever son manteau.

– Montrez-moi ça, mon homme! avait-elle dit avec assurance.

Mais quand l'homme avait découvert son visage, elle avait poussé un cri : son œil pendait sur sa joue, au bout du nerf optique sanguinolent. À la vue de cette horreur, elle était passée à deux doigts de s'évanouir. Jamais elle n'oublierait que l'émotion lui avait fait lâcher un pet dont elle souhaitait encore aujourd'hui qu'il avait été discret et inodore. Incapable d'apporter une aide réelle à ce malheureux dont elle n'avait jamais su comment il en était arrivé là, elle avait téléphoné au vieux docteur Choquette, de Saint-Hilaire, et l'avait supplié de franchir la rivière pour venir à leur secours. Après, Dieu sait comment, l'affaire s'était ébruitée et on avait colporté que Berthe avait reçu un homme chez elle alors que son mari était en visite. Il avait fallu qu'Alexandre s'explique avec le curé Guillet pour que cessent les ragots.

– En tout cas, Sacha, j'espère que ce ne sera pas comme la dernière fois! déclara Berthe en s'essuyant les yeux.

Marie était déjà dans sa chambre et se regardait dans le miroir. Elle avait décidé de porter un chemisier crème à boutons nacrés, une jupe à plis et une petite ceinture en cuir d'autruche que son père lui avait ramenée de New York. Mettrait-elle un chapeau, comme sa mère le faisait quand elle allait à Montréal? Non : il s'agissait d'être vêtue simplement comme le recommandait la comtesse de Ségur dans *Les petites filles modèles*. La sobriété valait mieux que l'ostentation. Mais Marie ne résista pas à la tentation de porter des gants. Après tout on était en juin, et les gants blancs de sa première communion ne feraient qu'ajouter une note élégante à l'ensemble.

Quand elle descendit, Alexandre l'attendait dans le salon. Il posa les yeux sur elle et dit sans sourire :

– Tu mets des gants? Tu ferais mieux d'amener une petite veste de laine. On ne sait jamais.

Marie monta la chercher sans dire un mot. Elle avait les joues en feu, presque honte que son père se soit aperçu de sa coquetterie et lui en voulut de l'humilier par cette remarque. Elle allait chercher Jean à Montréal! Si elle ne portait pas ses gants à cette occasion, à part les dimanches à la messe, quand les porterait-elle? Du coup, elle se sentit profondément malheureuse et n'eut plus envie d'aller en ville.

– Marie! Vas-tu te dépêcher! Si ça continue on va partir de nuit!

Dans la voiture, Marie s'installa sur la banquette arrière. Au retour, Bruno serait rentré de l'internat de Belœil. Elle avait hâte de le revoir. On était le 22 juin. Dans deux mois exactement, ce serait leur anniversaire. L'été commençait. Quand son père s'engagea sur la grande route, Marie le remercia de l'avoir emmenée avec lui.

Le lendemain, les filles avaient encore la tête pleine de ce qu'il leur avait été donné de voir à Montréal : les rues encombrées de voitures et de taxis, les hôtels chic du centre-ville et les gens élégants déambulant sur les trottoirs. Tout au long du trajet Marie et Thérèse avaient parlé sans arrêt. «Papa! Ça c'est quoi? Et ça? Et ça?» Alexandre répondait patiemment : «Le port de Montréal. L'hôtel où la reine d'Angleterre descend quand elle vient. La gare Windsor. Là : l'université McGill... Et de l'autre côté de la montagne?».

– Brébeuf! Brébeuf!

Ce rituel était fascinant. Mais plus encore de pénétrer dans l'immense bâtisse du collège et observer, le temps d'attendre Jean, l'agitation des jésuites : ils longeaient les corridors, disparaissaient derrière des portes, surgissaient d'un escalier et n'adressaient jamais la parole à personne. Ça sentait la cire, l'humidité, l'encens, et cette seule odeur suffisait à ce que Marie comprenne l'anxiété qu'elle lisait dans les yeux de Bruno quand il lui parlait de son entrée au collège. L'époque où elle veillait sur lui serait bientôt révolue. Son frère devrait marcher seul, prendre sur lui et ne rien raconter à personne de l'angoisse qui l'étreignait à la pensée de retrouver cet enfer après les vacances.

Enfin Jean apparut dans le parloir chichement décoré de fougères juchées sur des tabourets. Dans quelques mois, il aurait quinze ans. Sa voix était devenue grave, de même que son regard. Il était gai et souriant, mais pouvait, d'un coup, devenir inacessible aux autres. Dans son uniforme de collégien, et d'autant plus qu'il avait adopté un maintien quasi militaire, il paraissait presque imposant. C'était encore l'influence des jésuites, bien évidemment. Marie savait d'eux qu'ils étaient courageux : ils avaient été scalpés, écorchés et criblés de flèches par les Indiens à l'époque de la colonisation de la Nouvelle-France. Berthe racontait que certains Indiens avaient attaché les jésuites à des poteaux pendant des jours, en plein hiver. Pieds nus dans la neige, les prisonniers attendaient que leurs bourreaux se décident enfin à les torturer. Plusieurs avaient eu les ongles arrachés et les doigts coupés avec des écailles de moules, comme le père Jean de Brébeuf qui avait donné son nom au collège.

Ce jour-là, sur le chemin du retour, assis devant avec son père et Thérèse, Jean parla beaucoup.

– Nous avons travaillé Corneille ces derniers temps, et surtout le thème de l'honneur.

– Et Zola? demanda Alexandre.

Quand il était allé à Paris avec Berthe, elle avait acheté toute la collection des *Rougon-Macquart* en répétant que ces livres étaient devenus très rares et que le seul fait de les avoir trouvés chez ce bouquiniste relevait d'un merveilleux hasard.

– Voyons, papa! s'écria Jean. Zola est à l'Index, tu sais bien.

– C'est quoi l'Index? s'écria Thérèse. L'Index comme le doigt?

– Ce n'est pas pour les petites filles, répondit Jean.

Mais Alexandre dit doucement :

– L'Index est une liste de livres qu'il vaut mieux ne pas lire.

– Comme quels livres?

– De Zola, seul *Le Rêve* est autorisé, souffla Jean.

– Alors moi je sais que maman lit plein de livres de l'Index, parce que des Zola y'en a plein dans la bibliothèque!

– Eh bien elle ne devrait pas, trancha Jean.

À ces mots, il serra les lèvres et le rouge lui monta aux joues.

– Chacun fait comme il veut, déclara Alexandre.

La tension se dissipa quand Alexandre proposa de s'arrêter sur la route manger un cornet de crème glacée. Jean demeura un peu à l'écart mais Marie se sentait encore près du monde des enfants. Elle resta avec Thérèse, s'accommodant de sa turbulence alors que Jean réclamait parfois sèchement la paix et le silence. Marie n'était pas sans craindre qu'il ne devienne un jour comme les corneilles qui défilaient dans les corridors de Brébeuf et qui ne lui disaient rien de bon même si Berthe les recevait très volontiers à Beloeil. «Les jésuites sont parmi les religieux les plus instruits et les plus lettrés», déclarait-elle quand Alexandre les traitait d'hypocrites.

Le soir du retour de Jean, la conversation fut très animée. L'oncle Arthur, Alexandre, Berthe et le curé Guillet s'accordaient à déplorer que les jésuites aient congédié le père Dubé, plus connu sous son nom d'écrivain : François Hertel.

– Ils l'ont envoyé à Sudbury, dans un collège au fin fond des bois, à l'autre bout du monde! Vous vous rendez compte? Les cochons!

Berthe dodelinait de la tête comme s'il s'était agi de la pire des catastrophes.

– Oui, mais il s'agit d'un agitateur, déclara Jean.

– Mais non, trancha Berthe. Hertel est un écrivain, un philosophe, un poète. Ses livres sont trop modernes et n'ont pas plu au clergé, voilà tout.

– Est-ce que les livres de Hertel sont dans l'Index? demanda Thérèse.

– Ils le devraient, dit Jean.

– Pauvre homme.

Alexandre et Berthe avaient parlé en même temps. Une page d'histoire se tournait autour de leur table. Car on devait parler longtemps d'Hertel, et plus encore lorsqu'il prendrait la décision de défroquer. Au collège Brébeuf, le seul fait de prononcer le nom de ce jésuite rebelle mériterait de sévères punitions. Ainsi, ce soir-là, à table, on tourna encore le même sujet de conversation dans tous les sens : le bien, le mal, Dieu, le diable, la menace de l'enfer et le chemin rocailleux menant au paradis. Le ton montait à mesure que l'oncle Arthur débouchait les bouteilles du vin rouge qu'Alexandre fabriquait lui-même. Chacun se débattait avec sa propre conscience, une conscience imprégnée des principes reçus chaque dimanche à l'église : cela se fait, cela ne se fait pas, cela est interdit, cela est condamnable, Dieu voit tout. Et surtout : le péché. Enfin, quand Alexandre vit se tarir ses arguments en faveur de la liberté de penser, il s'écria : «Faut tout de même pas devenir fou!».

Au couvent, Marie et Thérèse buvaient à la même source. Les religieuses ployaient la tête sous leur voile noir et marchaient à pas lents en égrenant leur chapelet. Le seul fait d'être sœurs leur faisait perdre leur condition de pêcheresses et elles rappelaient sans cesse à leurs élèves les saints principes de la morale chrétienne en les menaçant de l'enfer à la moindre défaillance. Marie s'interrogeait beaucoup au sujet du chemin étroit qu'elle les engageaient à suivre. Du reste, elle était convaincue que le

Seigneur avait raison. Toujours raison. Il n'y avait qu'à obéir et déjà on se sentait bien mieux, à l'intérieur. Pourtant l'attitude de Jean l'inquiétait. Si Dieu était si bon, comment se faisait-il que son frère se durcisse ainsi quand il ne s'agissait que de discuter? Des disputes violentes éclataient de plus en plus souvent entre lui et Berthe. L'oncle Arthur s'en mêlait et il fallait qu'Alexandre élève la voix pour que la paix revienne. Mais en ce 22 juin 1942, la maison était remplie des voix d'une famille heureuse d'être à nouveau réunie pour les deux mois qui allaient suivre.

IX

Bien des fois, durant les heures creuses des samedis et des dimanches de l'hiver, Marie avait confié à son journal : «Rien à faire. Platitude. Me suis ennuyée toute la journée». C'était souvent à la suite de déceptions : Alexandre lui promettait de l'emmener à Montréal lui acheter des chaussures et des partitions de musique, mais le projet tombait à l'eau, à cause de Berthe. Sa mère savait semer le trouble avec ses pressentiments, ses angoisses, ses misères ou son éternelle insatisfaction d'être pauvre alors qu'Alexandre comptait parmi les notables les mieux établis de Beloeil. C'était compliqué, emberlificoté, gluant. Ainsi, il était décidé que Marie n'irait pas en ville avec son père, parce que. Ces jours-là étaient moroses. Bruno partait chez des amis, souvent chez le petit Michel. C'était un enfant terrible négligé par ses parents et surtout par sa mère. Il cherchait sans cesse à attirer l'attention en jouant, par exemple, du piano avec des biscuits au chocolat. Le soir, quand Bruno se retrouvait parmi les siens et leurs faces d'enterrement, il évitait de parler de cela pour ne pas aggraver l'humeur familiale. Berthe avait lu sans lire, raté une maille sur trois de son tricot, joué des airs macabres au piano. Alexandre avait travaillé, vu ses malades et nettoyé en grognant quelque pièce de la maison. Marie avait un air dur et fermé et mangeait en gardant les yeux baissés. Elle avait encore découpé des étoiles en papier pendant des heures et écrit, sur chacune d'elle : «Rien à faire».

Durant l'hiver, et lorsque la neige fondait pendant des semaines au printemps, il arrivait même que Marie devienne un peu neurasthénique. Elle tenait cette langueur mélancolique de sa mère mais, ayant hérité de l'impulsivité de son père, elle se débattait avec sa nature en souffrant. Si elle avait vécu, et que la possibilité d'investir son énergie dans la musique ne lui avait pas été donnée, elle aurait connu les affres de la dépression. Sa mort l'aurait au moins épargnée de cela. Car Marie se traînait parfois pendant des jours, privée du moindre entrain, hostile à tout. Au couvent, ces jours-là, les cours d'arithmétique lui paraissaient interminables et la sœur encore plus monotone qu'à son habitude. C'était aussi parce qu'elle ne réussissait pas dans cette matière. Les mauvaises notes s'accumulaient dans son bulletin alors qu'elle travaillait fort pour être la première de sa classe. Elle avait eu une médaille de français, elle excellait au piano, mais elle n'était que deuxième, et cela la désolait, car elle était ambitieuse et exigeante avec elle-même. Un jour, la révérende mère l'avait arrêtée dans le corridor pour lui dire que sans les fièvres rhumatismales qui l'avaient obligée à rester à la maison, elle aurait été première. Cela ne l'avait rassurée que momentanément, car la réalité demeurait là : elle n'était pas au premier rang, mais dans l'ombre du deuxième, et c'était bien cela qui la faisait souffrir le plus. Une mauvaise planète cachait son soleil : elle avait beau donner le meilleur d'elle-même, elle ne réussissait pas.

Quand l'été s'en venait, que la sève frémissait dans les arbres et que marcher jusqu'à l'église devenait un plaisir, Marie cessait d'être tourmentée. Elle aimait contempler les pivoines, les buissons de chèvrefeuille, les boutons d'or, les campanules. Et même si la trêve ne devait durer que deux mois, c'était bon à prendre. Il n'y avait plus la contrainte de se lever chaque matin pour se rendre au couvent, beau temps mauvais temps, et traverser lentement la journée, leçon après leçon, géographie, grammaire, cathéchisme, arithmétique! derrière un pupitre étroit, assise sur une chaise au siège dur et froid. Pour avoir chaud, il fallait attendre midi et la promiscuité du réfectoire, toutes les élèves assises les unes contre les autres le long des tables étroites, chacune derrière son bol de soupe. Parfois on y trouvait des petits pois, un morceau de carotte ou de pomme de terre. On avalait vite la soupe tiède et, tout de suite après, le sempiternel ragoût de bœuf filandreux répandu sur une purée de navets. Mais quand l'été s'en venait, marcher devant le couvent de briques rouges devenait un plaisir. C'était une trève longue de deux mois et demi, un baume, l'aventure quotidienne avant le retour au couvent que Marie retrouvait avec enthousiasme même si, la veille, elle écrivait dans son journal: «Demain la rentrée... Malheur!».

L'été la conviait aux voluptés de la liberté. Allongée dans son lit, un drap seulement sur son corps encore haletant, elle écoutait les grillons jusque tard dans la nuit. La journée avait été une suite de douceurs : les courses à Belœil avec Berthe, une promenade le long du Richelieu avec Paulette et puis, avec Bruno et Jean, un tour en canot jusqu'au manoir Neuville, le canot ancré dans une crique, une longue baignade entre les rochers moussus, les pieds dans les algues, le bonheur total même si Marie avait été grondée par Berthe parce qu'elle «avait gardé sur elle son maillot mouillé». Les nuits de juillet, quand sur les lits les couvertures n'étaient plus nécessaires et que la brise odorante chuchotait dans la chambre, Marie pouvait tout imaginer, de ses joies d'enfant à celles de la femme qu'elle ne serait jamais. Bientôt, ce serait son anniversaire et celui de Bruno, et elle n'inscrivit rien dans son journal intime cet été-là, sauf cette indication, en date du 22 août. Il y aurait une fête. Berthe était d'accord. Marie porterait sa robe de vichy bordeaux et ses nouveaux souliers crème à petits talons, que son père lui avait finalement achetés rue Sainte-Catherine, chez *Morgan*. Quand elle allait à la messe avec cette robe, elle se sentait l'âme d'une princesse et ne se rendait compte qu'elle était belle que parce que Bruno la regardait avec admiration. Et puis elle oubliait tout, redevenait une enfant, courait autour de l'église, jouait à cache-cache dans le cimetière, se blottissait derrière les monuments funéraires jusqu'à ce que sa sœur fonde en larmes: «Marie! Marie! Où es-tu?». Thérèse repartait en courant vers l'église et semait la panique. «Maman! Maman! Marie a disparu!» Mais Marie rebondissait bientôt au milieu des autres, réunis sur le parvis. «Marie! Ne nous fais donc pas des peurs comme ça!», disait Alexandre avec sévérité. Mais Marie riait, elle reprenait son souffle, le sourire ne quittait pas ses lèvres, elle était heureuse. Au moins, pendant un moment, elle avait vécu intensément.

L'été ne changeait rien à l'existence d'Alexandre. Il travaillait même la nuit, quand les enfants de Belœil décidaient de venir au monde avant que le jour se lève. Il rapportait toujours de ses visites des histoires abracadabrantes. S'ils avaient accompagné leur père, les enfants racontaient les choses à leur manière : l'ulcère de la mère Leblanc avait doublé puis s'était résorbé comme par miracle après qu'Alexandre y eût appliqué une pommade de sa confection. «De deux choses l'une, Madame Leblanc, avait-il déclaré. Soit ça empire, soit ça s'en va. Mais si ça s'en va, ça ne reviendra jamais.» Un peu plus et le docteur passait pour un guérisseur, comme la fois où il avait parfaitement ressoudé le petit doigt du ferronnier qui s'était blessé avec une scie électrique. Cela avait beaucoup impressionné Thérèse. Depuis ce jour, elle aimait discuter «d'affaires médicales». Elle interrompait souvent la conversation des grands en répétant ce qu'elle avait à dire tant et aussi

longtemps qu'on ne lui répondait pas : «Papa! Papa!... Papa!
Papa! Est-ce que tu pourrais faire comme le médecin Paolo
dans *François le bossu* et enlever la bosse de Céline
Dandurand?... Papa! Pourrais-tu faire comme Paolo dans
François le bossu? Pourrais-tu?». Bruno et Marie perdaient
patience et rabrouaient leur sœur en même temps : «Tais-toi
donc, Thérèse! C'est bien évident que papa ne peut pas enlever
la bosse de Céline Dandurand, voyons donc!». Pourtant cette
bossue était fascinante, et Thérèse y pensait souvent en croyant
ferme qu'un miracle pouvait la délivrer de cette boule qui
l'obligeait à marcher courbée en deux.

Pendant l'été, l'oncle Arthur, lui, travaillait à la *Canadian
National* en qualité de contrôleur surnuméraire pour se faire un
peu d'argent. Il profitait de ses voyages à Québec pour rendre
visite à ses amis fermiers, les confesser et les bénir. Après avoir
bien mangé et bien bu, il repartait avec des cageots de poireaux,
de carottes, de navets, de haricots. Il arrivait qu'on lui offre un
jambon, un gigot, les côtes d'une bête abattue la veille, le tout
bien emballé dans un torchon, ficelé et enfermé dans un sac. Il
s'agissait de ne pas perdre cette viande, et d'en faire profiter la
famille. Le train sur lequel l'oncle Arthur travaillait, un express,
ne s'arrêtait pas à Belœil, mais il traversait le pont à midi et
quart précises. Alexandre convoquait alors tout le monde au
«rendez-vous du jambon». Dès midi, et souvent avant,
Alexandre, Berthe et les enfants prenaient leur poste au pied du
pont, les yeux braqués sur le chemin de fer et l'oreille tendue.
«Il arrive! Il arrive!», criait Thérèse. Jean déclarait : «Oncle
Arthur a dit midi et quart. Ce sera midi et quart». «Pourquoi
pas avant? rétorquait Marie. Ça se pourrait! On ne sait jamais!»
«Les trains, c'est les trains», tranchait Jean. Et il avait raison.
Bientôt on percevait un sifflement. Alexandre criait : «Préparez-
vous! Préparez-vous! Il ne faut pas le manquer». Et le train

63

passait sur le pont à toute allure, dans un vacarme fou. Ils avaient tout juste le temps d'apercevoir la tête d'Arthur par une fenêtre ouverte, son visage hilare, ses bras tendus et ses mains lançant à toute volée un gros paquet bien enveloppé, et bien lourd aussi. Les enfants hurlaient en sautant sur place. Arthur était fort et habile : le jambon atterrissait sur la pente caillouteuse menant à la rivière ou bien déboulait jusque sur la grève. Parfois Arthur ratait son coup et le jambon tombait au milieu de la rue ou encore dans l'eau. «Tant mieux pour les poissons! concluait Alexandre pour consoler les enfants. Qui sait si cet hiver ils n'ont pas désespérément cherché à manger! Les voilà récompensés!» Mais le plus souvent, les enfants recueillaient la pièce de viande un instant avant la tragédie et la brandissaient comme un trophée. Quand Arthur revenait de Montréal par le petit train de campagne, après sa journée de travail, le jambon cuisait au four. Bien sûr on lui trouvait un goût exceptionnel et il en avait bien valu la chandelle. En cette époque où la guerre battait son plein de l'autre côté de l'océan, on se débrouillait comme l'on pouvait avec les contraintes du rationnement, et le jambon tombé du ciel – n'était-ce pas la vérité? – fumant sur la table, garni de pommes de terre puis servi froid pendant des jours évoquait à lui seul toute la magie de l'été. Personne ne se lassait de raconter l'aventure du «rendez-vous». Alors Marie était parfaitement légère, heureuse, en harmonie avec les siens et avec sa vie entière.

X

Il suffisait de peu de choses pour que Marie soit heureuse :
«du beau chant à l'église», «un beau sermon», «un film», comme
elle le notait dans son journal, ou encore la visite de ses tantes
de Québec, l'été. Du jour au lendemain, la maison se trouvait
remplie des enfants de ces femmes-là, les sœurs de sa mère. On
s'entassait à six dans les chambres, on installait des lits pliants
dans le grenier, on vivait sens dessus dessous pendant deux
semaines. C'était souvent à l'époque de la canicule de juillet. Les
femmes cherchaient l'ombre dans le jardin ou passaient la
moitié de l'après-midi dans la fraîcheur du salon. Elles
brodaient, buvaient du café et rattrapaient le temps perdu en se
racontant dans le détail leur quotidien respectif. Souvent les
enfants se cachaient pour les écouter en espérant que l'une
d'elles se laisse aller à quelque aveu qui enflammerait leur
imagination. Au moindre bruit suspect, elles baissaient les yeux
en soupirant ou s'interrompaient au milieu de leur
conversation. Mais c'était déjà trop tard. «Sortez de là petits
vauriens !» tonnait Yvonne ou Graziella tandis que Berthe se
levait précipitamment, craignant le pire. «Qu'est-ce qu'il y a?
Que se passe-t-il?». Les enfants déguerpissaient en riant par la
porte principale. Dans l'après-midi, ils se baignaient jusqu'à
épuisement, et ce n'était qu'une fois allongés sur les rochers
qu'ils parlaient de ce qu'ils avaient appris en espionnant leurs
mères – autant de mystères nommés fausse couche, ménopause,
adultère, et d'allusions au sujet des horreurs de la guerre. Tout

cela se passait dans le monde des adultes, ailleurs et loin. Pourtant, à la messe, on priait pour le repos des «martyrs morts pour l'honneur de la patrie» et ces événements engendraient des conversations interminables entre Alexandre et Arthur qui se rappelaient leurs propres souvenirs de la Grande Guerre jusqu'à ce que Berthe les interrompe : «Arrêtez donc de parler de cela! Vous faites peur aux enfants»! Il ne s'agissait pour eux que d'un terrible conte, mais Berthe était très inquiète et, la nuit, il lui arrivait de se réveiller en sursaut. Le dimanche, elle allumait un lampion, parfois deux, et demandait à la Sainte Vierge de faire cesser la guerre avant qu'Alexandre ne finisse par être obligé d'y aller.

Ainsi une menace planait sur l'été, et jetait de l'ombre sur les joies de Marie. Pourtant elle se réjouit d'apprendre que sa tante Berthilie viendrait passer quinze jours chez eux. Elle était fascinée par cette tante qui était devenue religieuse à dix-sept ans, à la suite d'une peine d'amour. C'était la sœur aînée de Berthe. Malgré le voile qui recouvrait sa tête rasée, et la grande robe noire dissimulant la moindre forme de son corps, Berthilie était plus jolie que sa sœur et Marie ne pouvait pas concevoir qu'un jeune homme ait pu abandonner une telle femme, belle, douce, posée, joyeuse, une Geneviève devenue sœur Berthilie, sa tante préférée. Lorsqu'elles se trouvaient assises toutes les deux près de la serre, sur le banc de parc, Marie posait toujours les mêmes questions. «Tu n'auras jamais d'enfant comme maman, Yvonne et Graziella?» Berthilie était ouverte d'esprit et répondait simplement à Marie. «Je suis mariée à Dieu, et Jésus est mon fiancé éternel. Il est l'enfant.» Marie ne comprenait pas, mais tout ce que lui disait Berthilie ne l'inquiétait pas puisque sa tante respirait la sérénité. «Parle-moi de lui, ma tante, insistait-elle en rougissant. Maman dit que tu étais très... amoureuse.» Berthilie éclatait de rire. Ses mains blanches comme de la cire tenaient un chapelet et ses lèvres bougeaient sans qu'aucun son n'en sorte. Elle priait souvent comme cela, les yeux fixés sur la personne avec qui elle parlait, et Marie avait parfois eu l'impression que Berthilie pouvait la traverser juste en la regardant.

– Je suis amoureuse de Jésus, déclarait-elle. Pour toujours. Le garçon que j'ai connu sur cette terre n'existe plus pour moi, Marie.

– Oui, mais comment fais-tu pour être amoureuse de Jésus puisque tu ne le vois pas!

– Je le vois dans mon cœur, je le vois dans mes rêves, il est toujours avec moi, je sens sa présence à chaque heure du jour.

Était-ce ainsi pour toutes les sœurs du couvent? Le plus difficile à concevoir étaient que toutes ces femmes – mais en était-ce bien? – eussent le même fiancé. Et que faisaient-elles donc de ce sang, chaque mois, qui pour elles ne servaient à rien? Quand elle avait eu cela la première fois, Marie n'avait pas été surprise puisque Alexandre avait commencé depuis quelques mois déjà à lui parler de ce qui lui arriverait quand elle se transformerait en jeune fille. «Chaque mois tu perdras du sang, sauf quand tu te marieras et que tu attendras un enfant. Alors tu garderas ce sang à l'intérieur de toi et il nourrira ton enfant. Tu comprends?»

Cet été-là, Marie alla chercher Berthilie à la gare, avec Alexandre. À Montréal, on crevait de chaleur et la petite robe de coton que Marie portait lui collait à la peau. Comme Berthilie avait dû être mal à son aise dans ce train bondé, sous cet amas de tissu qui la couvrait même en été! De petites gouttes de sueur perlaient sur ses tempes et le long de sa cornette bien empesée. Lorsqu'elle se retrouva dans les bras de sa tante, Marie sentit son odeur de transpiration et de savon, imagina sa peau moite et s'affligea à l'idée qu'elle n'aurait même pas le plaisir de se rafraîchir dans la rivière comme elle-même le ferait dès son retour à Belœil. Dans la voiture, Berthilie se retourna souvent vers Marie : «Et toi Marie? demandait-elle... Tu ne dis rien. Comment vas-tu? Ton piano? Te disputes-tu encore souvent avec Thérèse? As-tu suivi le conseil que je t'ai donné en janvier?». Bien sûr que Marie avait respecté sans rechigner la devise de l'obéissance, et Dieu sait qu'elle en avait souffert. À la pensée du Gitan, elle baissa les yeux. Elle l'avait encore vu, dimanche, en sortant de l'église. Il riait avec une fille, à l'écart des autres. Se pouvait-il qu'il eût vieilli depuis la dernière fois qu'elle l'avait vu? Il lui semblait plus imposant et plus inaccessible que jamais. Puis Berthilie parla de la guerre avec Alexandre. «Il faudra prier beaucoup, dit-elle, et plus encore.» Faisant un signe de croix, elle ajouta : «Que le Seigneur protège l'âme de tous eux qui ont donné leur vie pour nous».

Ce fut comme cela durant tout son séjour. Même si Berthilie riait comme d'habitude et accompagnait les enfants en canot sur le Richelieu (quand elle ne troquait pas ses bottines pour des chaussures de toile et qu'elle les battait au tennis); même si elle était, à ses heures, l'enfant la plus enjouée des enfants qu'ils étaient, elle les ramenait toujours à l'ordre avec une mine très grave : «Ce soir nous prierons pour les conscrits. Tout à l'heure nous prierons pour la France». Sitôt le *benedicite* prononcé par Arthur ou Alexandre, on se mettait à manger en se sentant vaguement coupable car Berthilie avait dit : «Ayons, ce soir, une pensée spéciale pour ceux qui nous défendent et qui n'ont rien à manger». Avant le coucher elle engageait Marie et Thérèse (de qui elle partageait la chambre) à faire encore une petite prière pour les femmes qui attendaient le retour de leurs hommes partis à la guerre. Une fois la lumière éteinte, Marie pensait à se relever pour écrire ces prières-là dans son journal.

Mais elle s'endormait bientôt, après s'être dit que les prononcer suffirait.

Comme d'habitude, Berthilie lui avait ramené des images du couvent : une de l'archange Saint-Michel (qui protégeait tout particulièrement les combattants), une autre de la bonne Sainte-Anne dont la fête approchait, et une de Sainte-Charlotte pour lui rappeler qu'elle était arrivée à Belœil le 17 juillet, fête de cette sainte. C'était aussi un jeu instructif auquel elles jouaient souvent avant que le dîner soit servi ; elles passaient le temps ainsi, assises l'une contre l'autre sur le divan de cuir blanc. Berthilie disait : «3 août!» et Marie répondait : «Sainte-Lydie!». Puis elle disait : «Saint-Gatien!» et Marie répondait, avec un peu d'hésitation puisque c'était plus difficile dans ce sens-là : «18 décembre». Ni Berthilie ni Marie ne pouvaient se douter, se livrant innocemment à ce divertissement édifiant, que le bienheureux Gatien serait le dernier saint du calendrier de Marie. Une petite jeune fille allait mourir dans quelques mois, une petite jeune fille assise près de tante Berthilie qui, d'une certaine façon, n'avait jamais voulu devenir grande en ce monde, elle non plus. Malgré leur trente années de différence, Berthilie et Marie étaient deux sœurs que l'été réunissait mieux encore que ce n'était le cas pour Berthe et son aînée, puisqu'un univers complexe et vaste, celui des hommes, de la séduction, de l'amour et de l'enfantement, les séparerait *ad vitam aeternam*.

Plus que quelques mois encore et, par un jour de grande tempête, Berthilie reviendrait à Belœil soutenir sa sœur. Alors on ne prierait plus pour les défenseurs de la patrie, mais bien pour le repos de l'âme d'une enfant partie trop tôt. Et jusqu'à ce que de ses lèvres ne sorte plus aucun son, Berthilie répéterait à sa sœur blottie dans ses bras : «Marie est vivante, Berthe. Marie est vivante comme le Dieu vivant. Ne l'entends-tu pas? Ne l'entends-tu pas te demander de vivre, au moins pour ceux qui restent?».

XI

Marie avait toujours pressenti qu'elle allait mourir et que les autres vivraient. Depuis sa petite enfance, elle était attentive aux signes qui pouvaient lui confirmer cette impression. Plus d'une fois son père avait posé sur elle un regard très grave, très souffrant. Elle savait alors qu'il pensait à sa «maladie» même s'il n'y faisait jamais allusion. Il répétait seulement «Ne cours pas», et ça voulait tout dire, comme, d'ailleurs, la fébrilité de Berthe, sa façon de tâter son front et de la regarder à la dérobée. C'était sans compter les visions prémonitoires qui la poursuivaient le jour et la nuit dans ses rêves : cette Mary toute pâle, allongée sur un divan comme Blanche-Neige dans son cercueil de verre, et la fille des Neuville, qui était morte après avoir couru dans la nuit. Souvent, quand Marie surgissait au milieu des adultes, ceux-ci s'interrompaient, baissaient les yeux et posaient des questions à l'emporte-pièce : «As-tu fini tes devoirs?». Elle venait de les terminer une heure plus tôt, sous la surveillance distraite de Berthe. «As-tu joué avec Bruno chez les Lepoutre?» Bruno était à l'internat et ne rentrerait pas avant le samedi matin. L'embarras de Berthe, d'Alexandre, de l'oncle Arthur et parfois de tante Berthilie indiquait tout simplement à Marie que l'on venait encore de parler d'elle. Un monde pesait sur ses épaules, un monde d'attentes et de regrets, de craintes et d'espoirs – une voûte.

Marie aurait bientôt treize ans et elle comprenait tout, en silence. Se mouvant déjà parmi les siens comme un fantôme, elle pénétrait leur esprit et leurs tourments : la jovialité et l'entrain d'Alexandre ne la leurraient pas ; elle ressentait l'agitation intérieure de son père et les difficultés qu'il avait avec Berthe qui se plaignait de grossir, de vieillir, de s'ennuyer, d'être angoissée, de ne pas avoir d'argent et qui riait, pliée en deux, à propos de tout ou de rien. Elle avait quatre enfants, un mari, une maison, des amis, la passion de la musique et de la lecture. Pourtant il lui arrivait d'éclater en sanglots parce qu'elle pensait à son père disparu, à la maison de son enfance et aux années qui passent pour ne plus jamais revenir. À la voir ainsi anéantie, Marie s'était parfois dit que sa mère pleurait d'avance les peines qui l'attendaient encore.

Et puis Marie savait Jean, sa difficulté d'être. Quand il repartait au collège, elle passait un moment dans la chambre qu'il partageait avec Bruno. Elle ouvrait son cahier de dessin et demeurait pensive devant ses clowns tristes. Elle aurait voulu dire à son frère qu'il avait du talent mais son côté bourru, sans l'effrayer, l'obligeait au silence. Et puis elle contemplait les gros carreaux jaunes et marron des couvre-lits, la table de chevet, la petite lampe en albâtre jauni dont le pied représentait un oiseau aux ailes déployées. Il n'y avait pas de jouets dans la chambre : le train électrique, les casse-tête représentant les cinq continents, les toupies et les polichinelles offerts par la mère de Berthe avaient été relégués au grenier quand Jean était entré chez les jésuites.

Marie comprenait la douleur que son frère éprouvait de se retrouver tout seul dans un grand collège froid, entre les mains de religieux perfides et dévoués comme des mères qu'ils ne seraient jamais. Elle souffrait de l'angoisse qui l'étreignait quand il repartait à Montréal, le dimanche après-midi, après s'être nourri des rires et des aventures que ce jour de grâce lui avait accordés. Et Jean? Sentait-il qu'elle mourrait avant tout le monde? Souffrait-il de ne pas la voir davantage tandis qu'elle était encore là?

Dans cette famille on vivait en suspens, aux aguets du cœur de Marie, à l'écoute de son souffle. Personne n'en parlait jamais mais cela flottait au-dessus d'elle. Elle gardait sans doute aussi quelque réminiscence des paroles prononcées au-dessus de son berceau, dans le cabinet d'un spécialiste, ou des conversations fusant de la chambre de ses parents alors qu'elle-même n'avait pas encore l'usage de la parole : «Marie a une malformation au cœur. Il faudra faire très attention à elle et la surveiller de près. Surtout qu'elle ne se surmène pas». Et la condamnation était tombée comme ça, comme pour la Belle au bois dormant qui allait dormir cent ans ; on la croirait morte mais elle se réveillerait, par miracle, grâce au baiser d'un prince charmant. Mais Marie savait bien que dans sa vie il n'y aurait pas de prince charmant même si le rôle qu'elle y tenait aurait pu être celui d'une héroïne de conte de fées.

Combien de fois lui avait-on dit qu'elle était belle et douée, bonne au piano, charitable, sage, un ange! Une adorable enfant! Qu'elle resterait toujours. Et ceux qui ne le lui disaient pas clairement – son père, ses frères, sa sœur – l'exprimaient avec les yeux. Marie sentait sur elle leur regard admiratif, aimant, heureux, ému. Tant de grâce et de perfection... dans une seule enfant. Il y avait une faille, certainement! Une faille cachée dans son cœur, et qui laisserait passer la mort. Chaque fois que Marie était malade, c'était à cela qu'on pensait. Quand elle était prise de fièvre et qu'elle s'agitait pendant des jours entre les draps que l'on changeait régulièrement, ses parents la veillaient avec des regards anxieux. Puis elle demeurait sans bouger, les mains croisées sous la couverture, la tête parfaitement immobile au creux de ses cheveux dorés – une auréole autour de son visage aux yeux clos. Elle était déjà allongée comme elle le serait... C'était tellement affreux qu'elle se mettait à revivre, sans le secours d'un prince charmant, nourrie par l'amour de ses frères, de sa sœur, de ses parents, des amis, des voisins, du curé, de tous ceux qui attendaient qu'elle meure en priant que cela n'arrive jamais. Enfin Marie émergeait de sa fièvre, elle respirait doucement, retournait au couvent, retrouvait son piano et la vie reprenait, fragile, puis de nouveau solide.

Les dimanches suivant les alertes étaient pleins des cris et des rires des enfants se chamaillant dans la maison. Alors Berthe retrouvait un dynamisme et une efficacité de général d'armée : elle cuisinait toute la journée, son rosbif fondait dans la bouche, son gâteau au chocolat aussi, les fleurs qu'elle avait elle-même cueillies et entassées dans des vases embaumaient la maison et le piano résonnait des airs gais sur lesquels elle chantait, avec Marie, Thérèse, Paulette et sa mère. La joie revenait, vivante, et les yeux brillaient des larmes que personne n'avaient versées. On remerciait Dieu en silence, on priait pour que la trêve dure, on chassait le spectre de la prochaine fois.

Pourtant Marie était en parfaite santé! Toutes ses photos le prouvaient! Joues rouges, yeux pétillants, dents blanches et solidement plantées, alerte, elle se promenait en canot, attrapait le chien ou patinait sur la rivière. N'était-ce pas elle qui avait pris soin de Bruno pendant toute une année? À le forcer à se lever, à s'appuyer sur ses béquilles, à avancer avec ses carcans de plâtre autour des jambes? Elle le portait dans ses bras, le rassoyait de nouveau, le faisait manger, lui lisait des histoires. Quand Alexandre avait scié les plâtres, elle avait entrepris de lui faire oublier ses genoux blancs comme ceux d'un cadavre et ses jambes aussi fines que des bâtons, décharnées, vacillantes ; elle lui avait appris, pour la vie, qu'on ne reste pas assis. On se relève, on prend sur soi, on avance. Et c'est ainsi que Bruno ferait, pour survivre, une fois qu'elle aurait disparu. L'énergie de Marie était incontestable, elle en donnait à qui en voulait et ces gens étaient nombreux : son père avait besoin de sa gaité pour vivre, sa mère s'extasiait du simple fait qu'elle fût, Thérèse la suivait comme une mouche, Bruno ne demandait qu'à être à ses côtés et, bien que Jean gardât ses distances, il la recherchait car il l'aimait, profondément. Et puis il y avait les amis : Hubert vénérait sa mère mais il deviendrait un mort vivant, et bien davantage un vivant mort quand Marie partirait brusquement, quelques jours avant Noël. Quant à Paulette, liée à jamais à l'esprit de Marie, elle perpétuerait son souvenir, et cela même soixante ans après sa mort, jusque dans les détails les plus oubliés. Marie... Une belle enfant morte d'un oedème aigu du poumon, en une nuit. Une Marie morte vierge, au début d'un interminable hiver. On lui vouerait un culte et on raconterait son histoire, par bribes, à demi-mots, solennellement, jusqu'à ce que tous les témoins de son passage disparaissent. Ainsi Marie resterait très longtemps dans les cœurs et les esprits.

En mourant, elle croirait encore qu'elle était malade, que le matin viendrait, et que le soleil se lèverait. Elle aimait tant le voir miroiter dans les arbres aux branches noires, et scintiller en mille cristaux dans les vitraux de l'église de Belœil, le dimanche, à la messe de onze heures. Les personnages du chemin de croix devenaient vivants, ils avançaient dans la lumière et Marie les avait souvent vus bouger. Au printemps, quand elle sortait de l'église, elle respirait le parfum des lilas; leurs pétales flottaient dans l'air et tombaient sur le parvis comme des flocons de neige. Avec Thérèse elle en ramassait plein, les entassait dans des vases, les oubliait. Et puis, un jour, les pétales fanés n'étaient plus que mousse sur l'eau stagnante. Au retour d'une visite, Alexandre constatait que les fleurs mortes étaient toujours là, bien qu'il ait demandé à Berthe de les enlever.

«Fillon!» tonnait-il. Elle accourait avec un air de bête traquée et il explosait une fois de plus : «C'est moi qui fais tout dans cette sacrée maison-là! Fais quelque chose, bon dieu! Regarde-moi ça! Y'a un pouce de mousse dans ce vase-là! Une infectitude!». Berthe s'agitait, allait chercher un torchon, saisissait le vase, renversait de l'eau sur le tapis, trébuchait en se rendant dans la cuisine. Alors elle fondait en larmes, c'était son arme la plus efficace, et Alexandre la consolait en lui demandant de lui pardonner. «Je suis débordée..., gémissait-elle. Je sais, je sais que je suis sotte...». La lamentation avait le don d'exaspérer Alexandre, il s'emportait de nouveau et, le soir, Marie notait dans son journal que sa mère n'avait pas de bonne comme s'il se fût agi de la pire tragédie que l'on pût imaginer.

Cependant Marie vivait, sans crainte du lendemain, malgré une petite angoisse qui enserrait parfois son cœur et gênait son souffle. Mais il suffisait d'un morceau de sucre à la crème, d'une promenade au village ou d'une lettre de Berthilie pour qu'elle redevienne légère. Elle était heureuse de l'amour qu'on lui portait, de celui qu'elle donnait, de son existence : à l'automne, les feuilles craquaient sous ses pas, un feu odorant crépitait dans la cheminée, son père étudiait dans son cabinet, sa mère abandonnait la vaisselle pour lire et faire de la musique, Paulette venait passer l'après-midi, le piano chantait Bach, Mozart et Chopin l'enchanteur. Cela, bien sûr, durerait toujours. La maison de Belœil et les pins dans le parc, le bric-à-brac dans le garage et le hangar, le chien Tommy participant à leurs jeux étaient un éternel tableau vivant comme la rivière qui coulait jour et nuit, chaque seconde, intarissable, et que Marie aimait entendre l'été quand la fenêtre de sa chambre restait ouverte.

Marie était comme la rivière. Elle filait le long des berges, sautillait par-dessus les pierres et ne s'arrêtait jamais, même quand elle coulait lentement sous le ciel dont elle captait le reflet – une voûte qui l'épousait parfaitement, comme un linceul.

XII

– Tu veux qu'on chante? demanda Paulette. Et si on chantait *Les Roses de Picardie*?

– Si tu veux, souffla Marie.

Paulette entonna le premier couplet et Marie enchaîna en regardant le Richelieu. Depuis le début de l'été, elle s'était remise à penser aux leçons de piano manquées bien qu'elle n'envisageât plus de reparler à ses parents de «ce bien gros problème», ainsi qu'elle l'avait confié à son journal. Elle reconnaissait que ses parents lui avaient au moins épargné les dortoirs mal chauffés du couvent de Belœil, les douches prises rapidement en robe de nuit pour ne pas éveiller les sens, et les repas fades avalés au réfectoire tandis qu'une sœur, jamais la même, lisait une page des Évangiles. Mais on lui avait tout de même demandé de renoncer à elle-même car Marie avait la musique dans l'âme.

Et puis elle avait perdu confiance en elle au printemps, un certain lundi soir. Au retour d'une visite, son père et elle s'étaient arrêtés à la station-essence pour faire le plein et le fils du garagiste les avaient servis. Pendant ce temps, Alexandre était entré dans le garage pour acheter quelque chose et Marie avait espéré que le Gitan en profite pour lui jeter un regard ou lui adresser quelques mots. Mais il était tout à son affaire et Marie en avait conclu qu'il ne s'intéressait pas à elle, qu'il aimait cette fille avec qui elle l'avait vu à l'église, et que tout était fini.

Ainsi, après avoir renoncé au piano, il lui avait fallu supporter l'indifférence du fils du garagiste, c'était beaucoup.

– Tu veux t'asseoir un peu? demanda Paulette.

Les deux filles étaient à deux pas de la maison des Vanier, presque sous le pont qui reliait maintenant Belœil à Saint-Hilaire. Elles s'installèrent au pied d'un érable et Paulette tira de son tablier des biscuits au gingembre.

– Maman les a faits ce matin, déclara-t-elle.

Ils étaient un peu brûlés. Madame Lepoutre brûlait toujours les biscuits, car lorsqu'elle en faisait, elle se mettait à jouer du violon en circulant dans la maison et ne s'interrompait que lorsque l'odeur lui rappelait qu'elle avait mis quelque chose au four.

– Ils sont bons quand même, dit Marie en riant.

Paulette ne répondit pas. Elle fixait tristement la rivière : Jean se promenait dans le canot. Il était seul, comme souvent l'après-midi. Alors Marie dit :

– L'as-tu toi, ce que j'ai, moi?

Paulette se retourna. Qu'est-ce que Marie voulait dire? Et puis elle lui raconta une histoire de sang qui coulait entre les jambes et qui permettait d'avoir des enfants. La première fois qu'elle avait eu ça, c'était quand ses parents lui avaient dit qu'elle ne serait pas pensionnaire et puis, encore, la semaine dernière. Ça avait duré quatre jours.

Paulette écoutait, les yeux ronds. Elle ne savait pas trop si elle devait croire Marie : ce qu'elle lui confiait était assez incroyable et elle n'avait jamais entendu parler de cette chose.

– Et ça fait mal? Ça tache tes vêtements? Donc tu peux te marier!

Mais Marie n'écoutait plus, elle dirigeait la trajectoire des fourmis avec une brindille. Paulette posa sa main sur celle de son amie.

– Marie... Marie! À quoi tu penses?

Les deux filles se regardèrent longuement, les yeux dans les yeux. C'était rare. Elles se racontaient un monde et un avenir qu'elle n'auraient pas en commun ; déjà elles étaient séparées, entraînées dans leur vie même si elles étaient l'une contre l'autre en ce jour de juillet, chaud, plein de soleil et du bruit du vent dans les arbres feuillus. Ça sentait la terre et l'eau de la rivière. Ça aurait pu ne jamais finir. Pourtant Marie se leva et frotta sa jupe. «Viens maintenant, dit-elle, allons chez toi.»

Marie aimait aller chez Paulette. C'était sa meilleure amie, elle avait quatre frères turbulents et sa mère, très proche de Berthe, l'impressionnait beaucoup : Henriette Lepoutre était grande et plantureuse ; elle calait son violon sur son épaule avec vigueur et maniait son archet de bon train, tirant des sons sublimes de cet instrument qui paraissait bien petit et bien fragile sous son double menton. Elle marchait d'un pas lourd mais rapide, ses mains étaient larges et ses cheveux courts. Marie ne percevait pas la féminité de la mère de Paulette mais elle était sensible à la sensualité de son corps rassurant, et aimait s'en trouver près. Chez les Lepoutre, le temps s'arrêtait sur un air de Mozart. La table où les enfants avaient pris leur petit déjeuner était couverte de miettes de pain, des couteaux étaient plantés dans le pot de miel, un toast oublié sortait du grille-pain, des serviettes de papier bouchonnées avaient glissé sur les chaises. Mais la mère de Paulette ne voyait pas ça. Elle jouait, parfois en déambulant lentement, les yeux fermés, la tête couchée sur le violon. On aurait dit qu'elle l'écoutait et qu'elle n'était pour rien dans la musique qui en jaillissait. Paulette et Marie restaient là, admirant cette femme, une musicienne, mère de cinq enfants, épouse d'un buveur. Elles ne parlaient jamais de cela, même si, le dimanche, l'oncle Arthur passait parfois une remarque du genre : «T'as vu Lepoutre à l'église, Alexandre? Encore paqueté! C'est-t'y possible! Pauvre Henriette...». Pauvre Henriette? Marie ne croyait pas que la mère de Paulette fût pauvre, ni même qu'elle souffrît : elle avait son instrument et quand elle le tenait dans ses bras, elle oubliait tout, elle était heureuse. Puis elle disait, avec le sourire le plus chaleureux du monde : «Allez! Fini pour aujourd'hui! J'ai du travail!». Alors elle posait son violon et entreprenait de nettoyer la table. Dans l'après-midi, elle se mettait à ses traductions. Un mari buveur, cela signifiait cela aussi : joindre les deux bouts sans compter sur lui.

Marie quittait toujours à regret la maison des Lepoutre et repartait avec Paulette. Parfois elles marchaient jusqu'à la scierie et jouaient à cache-cache avec Gertrude dans les hangars pleins de sciures de bois – ça sentait bon ça aussi. Mais le plus souvent, elles allaient chez Hubert Vanier. Un jour Marie avait dit à Paulette : «J'ai un secret mais ne le dis jamais à personne». Marie lui en avait déjà confié beaucoup, en plus de l'impressionnante histoire du sang qui coulait entre les jambes. Qu'aurait-elle encore à lui divulguer? Paulette ne pouvait pas s'empêcher d'espérer que Marie lui apprenne que Jean l'aimait, elle, Paulette, et qu'elle n'avait qu'un geste à faire pour qu'il se déclare.

– Madame Vanier est une *diçorvée*.

Et Marie, les yeux graves, avait mis un doigt sur sa bouche.

– *Diçorvée*? avait chuchoté Paulette. Qu'est-ce que ça veut dire?

– Beaucoup de choses.

Chez Marie, les filles entraient toujours par la porte de côté car Alexandre recevait ses patients dans son cabinet, situé devant, et il ne fallait pas le déranger. Avant de grimper à l'étage, et de passer du temps dans la chambre de Marie à regarder ses aquarelles, des photos de famille ou les images qu'elle collait dans son *scrap book*, elles s'arrêtaient dans le salon. Marie jouait un morceau à Paulette, qui la félicitait : «Si tu continues comme ça, tu joueras des pièces de plusieurs pages! Du Brahms peut-être, ou un duo avec maman». Marie claquait le couvercle du clavier et rétorquait : «Imagine si j'avais eu le droit d'être pensionnaire!».

Il leur fallait souvent faire le tour de la maison pour trouver Berthe. Elle n'était pas dans sa chambre (les lits n'étaient jamais faits, des vêtements traînaient un peu partout), ni dans la salle de bains à carreaux blancs comme celle d'un hôpital, ni dans le grenier. Marie et Paulette la surprenaient parfois devant les fenêtres du solarium : elle ne faisait rien, elle regardait le pin et suivait la trajectoire des nuages. Quand elle apercevait les filles, elle disait : «Vous êtes seules? Où est Thérèse? Regardez le gros nuage! Il ressemble à l'oncle Arthur!». Rarement elle leur demandait si elles avaient faim, ou soif, mais elle imposait sa volonté, en douceur : «On va tricoter.» «Marie, joue-nous ton morceau.» «Cherchons Alexandre». Il arrivait aussi que les filles la trouvent assise sur une chaise, contre la porte d'une penderie, sous la cage d'escalier. Dans ce petit recoin, elle lisait *L'exégèse des lieux communs* de Léon Bloy, *les Élégies* de Marot ou un roman de François Mauriac. À la vue des filles, elle se levait tout simplement, déposait son livre sur la chaise et s'avançait en souriant. «Vous êtes là?» «Ta maman va bien, Paulette?»

Tout à coup, Alexandre entrait en coup de vent.

– Fillon! Vite! Où sont les clefs de la voiture?

Berthe le regardait avec un air un peu hébété.

– Je ne sais pas... Dans ton bureau?

– Mais non! criait Alexandre.

Il se mettait à arpenter le salon.

– Papa! On peut venir avec toi?

– Où? Non! Fillon, aide-moi donc!

Marie et Paulette profitaient de la course aux clefs pour se faufiler dans la voiture. Si Bruno passait par là, il s'assoyait entre elles. Tous trois se taisaient, le cœur battant, et souhaitaient qu'Alexandre démarre en faisant crisser les pneus sur le gravier comme cela arrivait quand, au bout d'une demi-heure, il avait enfin trouvé les clefs dans la glacière ou sous son oreiller. Alors il roulait vite, nerveusement, et c'est seulement lorsqu'il avait traversé le Richelieu en direction de Saint-Hilaire qu'il s'apercevait de la présence des enfants.

– Qu'est-ce que c'est que ça? Qu'est-ce que vous faites là? grognait-il.

Et les enfants n'avaient qu'à dire : «On voulait seulement venir avec toi!» pour distinguer, dans le rétroviseur, un éclair de joie dans ses yeux. Après quelques minutes de silence, il disait:

– Vous resterez dans la voiture. Pas question de sortir. Je vais au manoir.

Cette fois, les enfants gardaient le silence. Aller au manoir, c'était pénétrer dans un roman vivant, dans la réalité du rêve, en spectateurs intouchables. Quand Alexandre sortait de la voiture, les enfants demeuraient immobiles. Puis ils se relevaient à demi, s'agrippaient au dossier de la banquette et observaient tout ce qu'ils pouvaient observer.

Alors Marie imaginait la fille des Neuville : l'Anglaise marchait derrière les immenses fenêtres du salon, ou dans la tourelle, seule avec sa mort à venir ; elle courait dans le froid de l'hiver, comme elle-même n'en avait pas le droit, et jouait du piano un soir de Noël : des lustres scintillaient, un sapin somptueux occupait un angle du salon, des bonnes circulaient parmi les convives avec des plateaux couverts de canapés et de coupes de champagne, des femmes aux épaules nues et des hommes en uniforme se berçaient d'intrigues dans les antichambres. La fille des Neuville avait un professeur à demeure, un piano à queue et nulle autre obligation que de déchiffrer des partitions, des partitions allemandes, italiennes, françaises, de toutes ces contrées que Marie ne connaîtrait jamais. Et puis elle était morte comme cette Mary O'Brien que Berthe avait vue allongée sur un divan, dans une robe blanche à collerette noire. Quelque chose empêchait Marie de questionner son père au sujet de l'étrange destinée de la fille des Neuville, un serrement au cœur, la certitude de provoquer sa colère. Alors elle se taisait et raboutait seule les morceaux de l'histoire qu'elle inventait à mesure.

Puis un jour, à propos de rien, Berthe murmura :

– Tu sais, la fille des Neuville...

Marie était au piano, c'était un après-midi, la pluie n'avait pas cessé de tomber et Berthe lui faisait travailler ses gammes chromatiques de plus en plus vite, toujours de plus en plus vite. Elle disait : «Bien! Bien! C'est mieux! Beaucoup mieux!». Marie s'exécutait en riant. La rapidité avec laquelle ses doigts couraient sur les touches relevait de l'hallucination. Elle était heureuse. Mais au nom de Neuville, un frisson l'avait parcourue. Pourquoi Berthe lui parlait-elle de ce fantôme?

– La fille des Neuville habitait dans la maison hantée.

– La maison hantée? s'écria Marie. À Saint-Hilaire?

– Celle de Monsieur Thompson, avec le toit rouge, au début de la montée des Trente.

De temps en temps, Alexandre allait chez le père Thompson. Il avait un ulcère, comme Madame Leblanc, mais à l'estomac. Marie n'était jamais entrée dans sa maison, mais s'était contentée de l'examiner tant et aussi longtemps que son père n'en était pas sorti. Une maison refermée sur son silence, pleine de fenêtres, de lucarnes et de galeries.

Alors Berthe parla en caressant d'un geste nerveux le petit buste de Beethoven qui trônait sur la table d'harmonie. Cependant elle regardait Marie à intervalles réguliers, droit dans les yeux, gravement, comme si cette histoire revêtait la plus haute importance. Berthe était autorisée, pour des raisons obscures, à circuler dans l'occulte, à distinguer les êtres derrière le miroir, à avoir accès à ce que Marie ne pouvait pas voir.

– La fille des Neuville était folle, déclara-t-elle. Elle passait ses journées à hurler. Une folle fait la honte d'une famille, surtout d'une famille d'aristocrates. Alors les Neuville ont fait construire la maison que tu connais, et ils y ont installée leur fille, avec des domestiques. Elle n'en est jamais sortie.

– Elle est restée là combien de temps?

– Trente ans.

– Trente ans..., dit Marie dans un souffle.

– Et puis un jour, elle s'est pendue. Depuis la maison est hantée.

À ce récit le cœur de Marie se mit à battre vite, et fort. C'était bel et bien une révélation que sa mère lui faisait, et Berthe ne pensait pas que Marie pourrait s'en nourrir comme d'un poison. Ce jour-là Marie se retint de dire : «Alors je vais mourir moi aussi?». Et puis elle commença à adresser à ses parents de petits mots qu'elle glissait sous la porte de leur chambre. Elle écrivait: «Bonne journée à vous.» «Merci pour le beau tour de voiture.» «J'ai hâte d'aller à Québec avec vous.» Et, chaque fois, elle signait : «Voûte fille».

XIII

– On va au manoir Neuville après la visite aux Dandurand, papa?

– Non. Il faut que je voie Monsieur Thompson qui s'est foulé une cheville en faisant des travaux dans sa maison. Tu veux venir avec moi?

À ce moment précis, Marie eut l'impression que son cœur cessa de battre. C'était le silence qu'elle était obligée de garder sur le secret que Berthe lui avait révélé qui l'oppressait. Comment aurait-elle pu confier à son père qu'elle était contente de se rendre à «la maison hantée»? Il l'aurait traitée de petite folle en lui disant de ne pas écouter les histoires de sa mère. Pourtant Marie croyait ferme à celle-là, et la fin tragique de la fille des Neuville vivait dans son imagination autant que certaines images qu'elle contemplait souvent en esprit : tante Berthilie prise de fou rire en jouant au tennis, l'oncle Arthur lançant le jambon dans le Richelieu, Bruno s'évanouissant à la vue de ses deux petites jambes maigres débarrassées de leur plâtre, Jean avançant solennellement vers l'autel de l'église le jour de sa première communion, Thérèse piochant sur le piano alors qu'on lui avait interdit d'y toucher si elle ne se lavait pas d'abord les mains, Berthe hurlant à la vue d'un petit bout de fil rouge qui dépassait de son sein! À force de planter des aiguilles sur son corsage pour éviter d'avoir à les chercher quand elle décidait de se mettre au raccommodage, l'une d'elles s'était peu à peu enfoncée sous sa peau, jusqu'à la catastrophe. Les enfants avaient été témoins de «l'opération» : Alexandre avait pratiqué une légère incision sur la peau désinfectée et avait lentement retiré l'aiguille tandis que Berthe déplorait son étourderie en gémissant.

– Si tu viens il faut partir tout de suite, Marie. Es-tu prête?

Marie se dirigea vers la voiture. Au même moment, Bruno sortit du hangar et s'écria : «Je peux venir? Je peux venir? J'ai tout réparé la fenêtre avec Bouley!».

Ils partirent tous les trois, Alexandre devant, Bruno et Marie derrière, avec cette impression de liberté qu'ils ne ressentaient que l'été lorsque le temps, l'après-midi, semblait prendre son temps. Il n'y avait presque pas de voitures sur la route, et pas une sur le pont qu'ils traversèrent en regardant la rivière.

– Plus tard je serai marin! déclara Bruno.

– Mais non, coupa Marie. Tu seras médecin, comme papa. Et tu resteras ici. Nous ferons les tournées ensemble. Je serai ton assistante.

– Et si tu te maries, ma fille? Et que tu vives, disons... à Québec? Qui aidera Bruno dans ses visites?

Marie n'aimait pas la contradiction tout simplement parce qu'elle n'aimait pas être inquiète. Et les situations qu'elle ne pouvait pas dominer lui faisaient cet effet-là. Alors elle comprenait sa mère qui déclarait au moins une fois par semaine: «Je fais de l'angoisse. Je ne sais pas ce que j'ai. Une sorte de pressentiment...».

– Bruno et moi on est nés le même jour, déclara-t-elle. Si je vis dans une autre ville, il viendra et s'il part j'irai avec lui, pas vrai Bruno?

– Oui.

On avait dépassé le manoir Neuville sans que Marie y jette un coup d'œil. Puis Alexandre accéléra dans la montée des Trente, gravit l'entrée de Monsieur Thompson et éteignit le moteur.

– La vie ne se passe pas toujours comme on l'imagine, les enfants. Vous restez dans la voiture ou vous venez avec moi?

Une fois de plus, Marie eut l'impression que son cœur s'arrêtait. Voilà maintenant que l'occasion lui était donnée de pénétrer dans cette maison! Et tout cela juste avant son anniversaire. C'était de bon augure. Le jour de ses treize ans, elle vivrait quelque chose d'extraordinaire : le fils du garagiste viendrait au goûter qu'elle donnerait dans l'après-midi, ou alors elle se mettrait au piano et un invité s'extasierait sur son talent jusqu'à persuader ses parents de l'inscrire à l'école de musique Vincent d'Indy. À cette pensée, Marie saisit la main de Bruno. «Allons-y, dit-elle dans un souffle.» Mais il y avait une telle gravité dans son regard que Bruno en eut un frisson.

Monsieur Thompson les accueillit dans le vestibule. C'était une pièce cossue, recouverte de tentures vert bouteille et meublée comme un salon : fauteuils de velours, table à café, porte-manteau en acajou. Au demeurant, tout cela était un peu décrépit, les tentures étaient élimées, les fauteuils défoncés, les coussins plats et leur tissu râpé.

– Et dire que tout cela date du temps des Neuville, dit Alexandre en admirant la pièce.

– Mes parents ont acheté la maison il y a plus de soixante-dix ans, précisa Thompson. Elle était toute meublée et cela faisait plusieurs années que personne ne l'habitait.

Marie brûlait de poser des questions à cet homme qui détenait peut-être la clef du mystère de la fille des Neuville. Il était impossible qu'il l'ait connue mais il avait tout de même passé sa vie dans la maison qu'elle avait habitée! Peut-être avait-elle laissé quelque chose? Et Marie pensa à ce qu'on pourrait retrouver d'elle si elle venait à disparaître : son *scrap book*, son singe en peluche qui avait perdu une patte, ses vêtements, son journal... Ainsi Monsieur Thompson avait sans doute conservé quelques petits objets ayant appartenu à la fille des Neuville. Un pendentif? Un missel? Des partitions? Composait-elle? Était-ce pour cela qu'on l'avait enfermée? Il y avait bien une raison à sa folie puisque la folie n'était pas une maladie! Alexandre avait bien dit un jour que les fous n'étaient pas nécessairement des malades mentaux et que les malades mentaux n'étaient pas nécessairement des fous.

– Et votre cheville? s'enquit Alexandre.

– Je marche, comme vous voyez. Mais ça me fait un mal de chien.

– On va regarder cela.

Alexandre se retourna vers ses enfants et leur dit de l'attendre dans le vestibule.

Dès que les hommes eurent disparu, Marie s'assit sur le divan, puis sur le fauteuil, puis sur l'autre. Bruno restait debout et la regardait avec étonnement.

– Qu'est-ce que tu fais?

Marie jeta un coup d'œil derrière un fauteuil, sous la table, promena une main sur le porte-manteau et tira un pan des draperies qui recouvraient les fenêtres.

– D'ici, elle pouvait voir la rivière.

– Qu'est-ce que tu dis? demanda Bruno.

– Je me demande ce qu'il y a derrière cette porte.

Un couloir étroit reliait le vestibule à un salon au plafond très haut. Mais juste avant, à droite, derrière une porte close qui ne devait pas être celle d'un placard, il y avait peut-être une autre pièce, un cabinet de médecin comme chez eux par exemple, ou un bureau, ou une bibliothèque. Et Marie était persuadée que c'était là que la fille des Neuville s'était pendue.

– Tu ouvres Bruno?

Il jeta un coup d'œil au salon. Marie restait bien droite, les yeux fixes, alors il ouvrit lentement la porte d'une petite pièce dans laquelle il n'y avait qu'un lit couvert de livres. Toutefois, juste à côté du lit, il y avait une autre porte que Bruno ouvrit et referma aussitôt après avoir constaté qu'elle donnait sur un petit escalier. Un petit escalier vibrant d'invisible. Alors Marie se sentit toute drôle et eut envie de pleurer. Elle pensa à Berthilie, aux saints qu'elle lui recommandait d'invoquer et elle se mit à prier.

– Qu'est-ce que tu fais? chuchota Bruno.

Il était inquiet. D'ailleurs il avait failli dire : «Qu'est-ce que tu vois?». Cette visite ne lui disait rien de bon et encore moins voir sa sœur dans cet état d'hébétude. Maintenant ses lèvres bougeaient sans qu'un son n'en sorte. Quand on entendit les voix d'Alexandre et de Monsieur Thompson, Marie recula en fixant la porte du petit escalier. Bruno eut juste le temps de sortir de la pièce mystérieuse et Alexandre s'avança vers eux.

– Allons! Monsieur Thompson est presque guéri. On a encore des visites à faire mais on trouvera le temps d'aller manger une crème glacée.

Les enfants poussèrent un cri de joie et remercièrent leur père de sa bonne idée mais ils restèrent silencieux dans la voiture. Marie jonglait dans son coin, l'air taciturne. De temps en temps, elle fermait les yeux. Bruno imaginait ses pensées, morbides et dangereuses, et cela le rendait furieux. Cependant il ne tenta pas de se rapprocher d'elle et de capter son attention en murmurant «anémie, amnésie, pneumonie». Il sentait bien qu'il n'y avait rien à faire, comme si, soudainement, un mur s'était érigé entre eux. Alors il resta seul, de son côté de la banquette, et il se sentit triste à mourir.

Cette nuit-là, Jean se réveilla en criant. Alexandre se précipita dans sa chambre et le trouva assis dans son lit, les yeux pleins d'épouvante. Quelques secondes plus tard, Berthe le rejoignit. Bruno se réveilla à son tour et Jean le regarda un long moment.

– Qu'est-ce que tu as? murmura Berthe. Jean! Dis-moi. Dis-moi!

Jean hocha la tête et demeura silencieux.

– Il a fait un cauchemar, Fillon, c'est tout. On a mangé du porc. Ça arrive souvent dans ce temps-là.

Le front de Jean était couvert de sueur et ses machoîres serrées indiquaient qu'il était encore sous le choc. Alexandre se pencha sur lui.

– Tu as rêvé, Jean. Ce n'est pas plus grave que cela. Est-ce que ça va maintenant?

Un grand enfant de quatorze ans entrait dans le monde des adultes. De l'avis d'Alexandre, ces soubresauts-là relevaient de tout ce qu'il y avait de plus normal. Mais Berthe s'acharnait à lire ce que les yeux de son fils refusaient de lui révéler.

– Dis-moi...

Mais Jean se rallongea sur son lit après avoir jeté un coup d'œil à Bruno. Puis il dit : «J'espère que je n'ai pas réveillé les filles». Alors Alexandre et Berthe le bordèrent, l'embrassèrent puis s'en allèrent vérifier si Marie et Thérèse dormaient.

Jean mit longtemps à se rendormir. Il pensait à son rêve et le repassait sans arrêt dans sa tête : Marie et Bruno se promenait sur le Richelieu, dans le canot, et Marie en tombait tout à coup, sans raison. Elle se débattait dans l'eau, sombrait, émergeait, comme happée par la rivière. Chaque fois qu'elle sortait de l'eau, elle reprenait son souffle en poussant des râles horribles. Bruno criait, mais une sorte de force l'empêchait de porter secours à sa sœur et Jean, qui observait la scène de la berge, impuissant, percevait très bien la force, malfaisante, fatale. Ainsi il ne pouvait que fixer le canot des yeux : celui-ci restait immobile au milieu du Richelieu, entre leur maison et la crique du manoir Neuville qui lui faisait presque face. C'était le jour, il faisait beau, puis la nuit était tombée d'un coup. Les cris de Marie s'étaient dissipés, la rivière avait tout englouti et Jean était reparti chez lui apprendre la catastrophe à ses parents. Lorsqu'il était entré dans la salle à manger, tout le monde était réuni autour de la table, riant et mangeant. C'était de nouveau le jour, pourtant la force maléfique était toujours là, agrippée à Jean, et il avait supplié qu'on le délivre de cette chose invisible. Alors Marie avait dit : «Jean est devenu fou», et il s'était réveillé à ce moment-là, en criant.

La seule chose qu'il aurait voulu demander à ses parents était: «Est-ce que Marie est bien vivante?». Mais on aurait cru qu'il délirait, alors il s'était tu. Dans quelques mois, il comprendrait la signification de son rêve, et cela ne ferait qu'augmenter sa douleur, voire sa culpabilité. Car longtemps Jean vivrait avec l'idée que s'il avait parlé ce soir-là, ses parents auraient redoublé de vigilance à l'égard de Marie et elle ne serait peut-être pas morte si vite. Mais il aurait fallu que Jean reconnaisse que le rêve était un songe, comme Berthe l'y avait incité à demi-mots, en scrutant désespérément ses yeux. Cependant, il devait rester persuadé que cette nuit-là Marie avait entendu son cri et qu'elle, au moins, avait compris qu'il s'adressait à elle. Mais quand ses parents étaient entrés dans sa chambre, elle avait fait semblant de dormir.

XIV

Comme tous les étés heureux, celui-ci passa vite. Marie avait beau se coucher le plus tard possible, se lever le plus tôt possible et vivre pleinement chaque instant, elle ne parvenait pas à freiner la fuite des jours. Ils s'amoncelaient derrière elle, légers, évanescents, terminés et pourtant bien vivants dans ce qui était déjà son passé. Elle apprenait le temps et chaque jour celui-ci perdait de sa magie. Ce n'était plus comme lorsqu'elle avait six ans et qu'elle croyait que l'année scolaire ne finirait jamais, ou que l'été ne reviendrait que si l'hiver finissait par finir! La ronde des saisons, comme celle de la nuit, du jour et des heures qui passent n'avait plus de secret pour elle. En ce mois d'août, même si Noël lui paraissait encore loin, elle savait bien qu'il arriverait, bon gré, mal gré, car c'était cela le temps, une puissance plus forte que tout le reste et qui avait raison de tout ce qu'on pouvait imaginer.

Ainsi le terrible orage du 15 août ne l'effraya pas, puisque, même à son plus fort, Marie ne douta pas qu'il se termine. Il éclata dans la nuit et réveilla tout le monde en sursaut. La famille se réunit dans le salon. L'orage dura, intense, illuminant le ciel, fracassant des arbres, déchaînant la rivière. La pluie tombait drue – un vrai torrent. Entre deux éclairs, le tonnerre retentissait et faisait hurler les enfants. Ils ne pouvaient même pas en entendre l'écho puisqu'un autre coup de tonnerre éclatait aussitôt. Dans le vacarme, on entendit toutefois des coups frappés à la porte. C'était Bouley et le chien Tommy. Le seul fait de venir jusqu'à la maison avait suffi à les tremper. Ils ruisselaient dans la cuisine, Bouley disait qu'on «voyait pas à deux pouces devant soi» et Tommy marchait d'un enfant à l'autre avec des yeux d'une intelligence inouïe, vérifiant si tout allait bien. La nuit fut un événement. Sous le scintillement des bougies et des lampes à l'huile, le salon prit un tout autre aspect. On était chez soi avec l'impression d'être ailleurs. Les reproductions à l'huile de Van Gogh et de Gauguin rapportées de Paris par Alexandre et Berthe – l'homme à l'oreille coupée et les deux Tahitiennes – ne parlaient plus le même langage. Marie les contemplait en pensant que leurs yeux savaient tout. Impassibles dans leur paysage, ces êtres-là avaient arrêté le temps. L'homme vivrait éternellement dans son ciel tourmenté et les femmes aux seins nus ne cesseraient jamais de porter ce plateau de fruits tropicaux.

L'orage perdurant, Berthe servit des biscuits au chocolat et du jus de pomme. Si une fête avait été prévue, elle n'aurait pas été mieux réussie. C'était comme un soir de Noël en avance, avec le sapin et la neige en moins. Tout le monde parlait en même temps, les enfants riaient de voir les adultes en pyjama (même tante Berthilie portait une robe et un voile de nuit), et Arthur menait le bal avec Jean en imitant les pirouettes de Charlie Chaplin. À l'aube, enfin, tout le monde regagna son lit et se retrouva vers midi dans la cuisine inondée de soleil. L'orage n'était déjà plus qu'un souvenir mais la fête qu'il avait engendrée se poursuivit autour des toasts au miel et à la marmelade.

Ce jour-là, Marie inscrivit dans la partie «Notes» de son journal le nom de quelques déesses de la mythologie romaine: Diane, Vénus, Flore et, en tête, Mnénodyne.

La déesse de la mémoire.

Comme une petite indication à qui pourrait retrouver son journal, au fond d'une malle ou d'un tiroir, quand elle-même ne serait plus là pour témoigner de son existence, au bout d'années bien plus longues que les treize qui lui auraient été accordées dans ce monde qu'elle s'apprêtait à quitter, sans s'en douter et tout en le sachant bien.

XV

– Bruno! Bruno! Viens-tu? Où es-tu?

Marie se dit que son frère ne pouvait pas être bien loin : dans sa chambre ou derrière le hangar avec Bouley, à travailler au jardin.

– C'est l'heure du thé!

C'était surtout le jour de leur anniversaire, l'anniversaire du dernier été heureux, le dernier qu'ils allaient fêter ensemble, avant que Marie ne brise – et fasse – l'histoire de sa famille.

La table avait été dressée dans le jardin, devant les baies vitrées du salon. Paulette, Gertrude, Thérèse et d'autres petites filles, les invitées, tournaient autour des plateaux de fruits et de gâteaux. À trois heures, Marie invita tout le monde à s'asseoir et entreprit le service. Berthe avait rempli des carafes de jus de pomme et de jus de raisin et une théière de chocolat au lait froid. Marie servit d'abord Bruno, assis au bout de la table. Ce jour-là, Jean escaladait le Mont Belœil et ne reviendrait que pour le repas du soir. Le double anniversaire se fêterait alors avec les adultes : Berthilie et Arthur seraient présents, de même que Madame Vanier et son fils. Mais on n'en était pas encore là! Pour l'instant, par cet après-midi torride qui sentait malgré tout le mois de septembre et la rentrée des classes, Marie recevait ses convives. Bruno pensait qu'elle était à la fois douce et dynamique comme la Camille des *Petites Filles Modèles* dont elle lui lisait l'histoire les dimanches de pluie, dans la pièce à la moquette jaune moutarde qu'ils appelaient le solarium. Car

Marie était une petite fille modèle malgré sa façon de donner des ordres qui ne souffrait aucune réplique : «Bruno, donne-moi ton assiette que je te serve un deuxième morceau de gâteau». Il n'avait plus faim, mais le gâteau était bon et il fallait que la lumière reste dans les yeux de Marie. Elle parlait, tendait des assiettes, s'assoyait, se relevait, riait. Soudain Alexandre sortit de son cabinet avec un appareil photographique : «Regardez-moi! Souriez!» Clic! «Au tour de Thérèse et de Marie! Debouts devant le sapin!» Clic! «Et Tommy! Tommy aussi! Avec Bruno et Paulette! Thérèse pousse-toi un peu, tu caches Gertrude!» Clic! Les images d'anniversaire enfermées dans une petite boîte offerte en cadeau à Marie : sourires figés sur du papier glacé, robes immobiles sous la brise, visages riants des enfants – un témoignage en noir et blanc. Marie portait sa robe en vichy. De quelle couleur étaient donc les petits carreaux? Bordeaux pour Marie! Bleus pour Paulette! La caméra l'aurait oublié mais pas les esprits à jamais habités par cette journée d'août, journée de grand vent, une des dernières de l'été s'achevant.

– Je vous prends tous en même temps!
– Que les filles! Que les filles!
– Alors Bruno prend la photo!

Les filles se serrèrent les unes contre les autres. Marie appuya ses bras sur les épaules de Paulette et de Gertrude, comme un Christ en croix, un Christ souriant, avec Thérèse devant. Le petit groupe se tenait devant le lilas, avançant un pied selon la posture des jeunes filles d'alors, chacune son histoire dans ses yeux, son sentiment du moment, bonheur et légèreté, demain était un autre jour, aujourd'hui c'était l'anniversaire de Marie et de Bruno, on était le 22 août 1942. Onze ans plus tôt, à cette heure-là, Berthe se baignait tranquillement dans le lac Saint-Jean avec son gros ventre dur et bombé. Puis elle s'était reposée, appuyée au rocher, sous un saule pleureur. L'eau claire caressait ses jambes. Et tout à coup! Tout à coup elle avait su. «Sacha! Aleeexxaaaanndre!» Il avait accouru, l'avait relevée et emportée jusqu'à la maison. Depuis onze ans déjà, on racontait en riant que Bruno avait failli naître dans l'eau.

– Et Marie? Et Marie?

Berthe avait moins de souvenirs de sa naissance. Il ne lui restait plus qu'une impression de joie tellement grande que tout se confondait avec les autres naissances.

– Et moi? criait Thérèse.

– Mais ce n'est pas ton anniversaire! s'exclama Paulette.

– Oui mais quand je suis née, c'était comment?

Berthe répéta à Thérèse ce qu'elle lui avait raconté cent fois.

– Dès qu'il t'a vue, le docteur a dit : «Oh! La belle petite bouche!».

Et Thérèse rougit de bonheur et de fierté.

– Encore du thé?

– Un peu de jus pour moi!

– Moi aussi!

Marie resservait, riait, s'affairait, embrassait Bruno sur la joue.

– Bon anniversaire Bruno!

– Bon anniversaire Marie!

Sur les photos, il y avait le sourire de Marie et dans ses yeux presque une question : «pourquoi». Quelques semaines plus tard, tout le monde les regarderait en même temps puis chacun son tour. «Elles sont belles!» «Ah! Que je suis drôle sur celle-là!» «Tu t'es vu Bruno? On dirait que tu croises les jambes comme Madame Vanier!» «Il n'y a pas de photos de Jean!» «Mais non! Il grimpait ce jour-là!». Et puis, dans quelques mois, avant la fin de l'année, on se jetterait sur les mêmes photos comme des affamés sur une croûte de pain moisi. On scruterait les yeux de Marie, son sourire figé pour toujours, comme cela, et son regard déjà grave de fille de treize ans, debout, offerte, victime, conquérante. Elle savait. Elle savait sans le savoir que c'était la dernière fois. Au fond, sur les photos, tous avaient des faces de condamnés. Mais non! Mais non! Paulette souriait, Gertrude et Bruno aussi! Pourtant, il n'y avait qu'à examiner les yeux bien attentivement pour comprendre que tout le monde se cachait la vérité : ce jour-là le soleil brillait, la brise soufflait, ça sentait le chèvrefeuille et Tommy somnolait mais la joie était passagère car on jouait la dernière cène.

– Et maintenant qu'est-ce qu'on fait?

– On joue au croquet!

– Non! Au badmington!

– Il y a trop de vent!

– Alors à cache-cache!

– Et si on se baignait?

– Vous venez de manger. Attendez d'avoir digéré!

– Marie, ça va? Tu te sens bien?

– Mais oui papa!

Non, ce n'était pas déjà Noël, tout le monde assis en silence autour du sapin décoré pour rien, au retour de la messe de minuit. Il y avait eu du beau chant, un beau sermon comme Marie les avait aimés et puis... Mais non! Mais non. On était en août, le 22 août 1942, un samedi, c'était l'anniversaire de Marie et Bruno. Berthe et Berthilie desservaient et ramenaient encore de bonnes choses à manger dans des assiettes propres. On les entendait rire dans la cuisine. Elles étaient aussi heureuses que les enfants. Et puis c'était tout un événement que de revoir, en plein milieu de l'été, les amies du couvent : Madeleine était venue de Saint-Lambert, Jeannine de Montréal et Louise de Saint-Hyacinthe.

Bruno perdait la moitié de leur conversation car elles évoquaient des souvenirs de l'année qu'elles avaient passée ensemble : et sœur Hortense qui avait puni Jeannine quand elle avait refusé d'aller au tableau parce qu'elle n'avait pas appris sa leçon de choses, et monsieur le curé le jour de son anniversaire quand toutes les élèves avaient revêtu leur robe blanche.

– Ce jour-là t'en souviens-tu Marie? s'écria Jeannine. La sœur a dit que si tu n'avais pas manqué la classe à cause de tes rhumatismes tu aurais été première... Première!

Marie hocha la tête et baissa les yeux. Ses lèvres se serrèrent imperceptiblement. Tiens! Elle était encore en colère d'être arrivée deuxième et même troisième alors qu'elle étudiait tellement consciencieusement.

– C'était avant ou après la messe des quarante heures?

– Bon! Qu'est-ce qu'on fait? demanda Bruno.

– On fait un tour en canot! décida Marie.

– Et on emmène Tommy!

Tout le monde déserta la table. Quand les enfants revinrent, après une longue promenade sur le Richelieu, ils trouvèrent Berthe et Berthilie encore en train de bavarder. Le gâteau à la crème glacée avait complètement fondu et plein de petits moustiques s'y étaient noyés. Le chat était couché entre deux assiettes. Le jour tombait lentement. À la vue des enfants, Berthe s'écria : «Mais quelle heure est-il? Madame Vanier et Hubert vont arriver bientôt! Je n'ai rien préparé!». Personne ne fut surpris. Les enfants n'étaient pas prêts d'oublier la fois où Berthe avait convié les Gagnon à dîner le dimanche soir. Le couple de Saint-Hyacinthe était arrivé à l'heure convenue avec un gros bouquet de roses de leur jardin. En les apercevant de la fenêtre, Berthe s'était écriée : «Tiens! Les Gagnon sont venus nous voir! Ça tombe bien mal». Elle achevait de s'habiller pour aller dîner chez les voisins. Le malentendu avait tourné au vinaigre. Madame Gagnon en avait voulu à Berthe pendant de longs mois, puis tout s'était réglé la nuit où Alexandre avait soulagé Monsieur Gagnon d'une crise d'hémorroïdes subite.

– Qu'est-ce qu'on mange ce soir? demanda Thérèse.

– Un pot-au-feu, avec les légumes du jardin.

– Oui, mais le dessert?

– Un gâteau des anges, pour Marie et Bruno.

– Avec combien de chandelles?

– Eh bien vingt-quatre, puisque treize et onze font vingt-quatre!

– Donc Bruno et Marie auront toujours deux ans de différence même s'ils sont nés le même jour, murmura Thérèse.

Berthe demanda à Paulette de rester pour le dîner. Elle était comme une sœur de Marie, avec sa robe toute semblable à la sienne. Dans le canot, toutefois, Paulette l'avait légèrement fripée. Elle appréhenda que Jean ne s'attache à ce détail lorsqu'il reviendrait de son expédition. Car il reviendrait! Et, à table, elle aurait peut-être la chance d'être assise entre lui et Marie. Elle brûlait de parler de cela à son amie, mais la pudeur, et surtout la crainte que Marie ne se moque l'empêchait de lui ouvrir son cœur.

– Tu te changes toi, pour ce soir? demanda-t-elle. Car si tu te changes, je retourne à la maison me changer aussi et je reviens.

Marie se retourna vers elle. Son anniversaire n'était pas terminé! Pourquoi déjà parler du repas du soir?

– Maman, est-ce que je peux aller chez Paulette et revenir tout de suite après?

– Oui. Mais surtout... Prends ton temps!

Un instant plus tôt, Marie s'était fait une joie de voir les Lepoutre alors que ce n'était pas prévu ; la mère de Paulette lui jouerait une chaconne de Bach et elle pourrait profiter de tout ce qui restait à venir : le repas en famille, encore du gâteau et la joie sur tous les visages. Mais sa mère l'avait ramenée à la réalité. Sur le dernier anniversaire de Marie, tout d'un coup, il y aurait eu ce nuage.

– On chante? demanda Paulette en marchant.

Marie regardait la rivière le plus loin qu'elle pouvait.

– Non.

Paulette n'insista pas. Elle souhaita, mais c'était trop tard, que Berthe n'eût jamais prononcé cette phrase maladroite. Du reste, elle n'osa pas se rapprocher de Marie et la prendre par le bras, comme elle le faisait d'habitude quand elles marchaient ensemble, car elle ne voulait pas l'accabler de sa sollicitude. Marie souffrait déjà bien assez comme ça. Heureusement, Madame Lepoutre les accueillit les bras ouverts. «Bon anniversaire ma belle Marie! s'exclama-t-elle. Je n'ai pas de cadeau pour toi, malheureusement, mais j'ai le temps de te jouer tout ce que tu veux au violon! Et si tu veux tu m'accompagnes au piano!» C'était comme si Madame Lepoutre avait tout senti, tout deviné. Quand Marie se retourna vers Paulette, elle avait retrouvé son sourire.

Cette nuit-là, Marie mit des heures à s'endormir. Des images de cette journée si pleine et excitante refusaient de quitter son esprit. Elle pensait aux cadeaux qu'elle avait reçus, à son *Kodak* et en particulier à la petite montre que son père lui avait offerte. Une montre de vraie jeune fille, avec un cadran en or et un bracelet en cuir. Elle la porterait jusqu'à la rentrée des classes, dans moins de trois semaines, et ensuite tous les dimanches pour aller à la messe. La montre venait de Suisse et avait été achetée chez *Birks*, à Montréal. Berthilie, quant à elle, lui avait donné une série d'images saintes et une savonnette au jasmin. En lui tendant *La petite Fadette* et *La mare au diable*, Berthe avait raconté à Marie que George Sand portait une redingote, un haut-de-forme, qu'elle fumait le cigare et qu'elle avait adopté un nom d'homme pour mieux se glisser dans leur monde. Mais, surtout, elle avait aimé Chopin. Le couple avait passé de longs mois à Majorque. Berthe y emmenerait peut-être Marie quand elle serait en âge de voyager. Alors elles visiteraient la maison que les amoureux avaient occupée : le piano de Chopin, un piano droit, s'y trouvait toujours.

Marie imaginait fébrilement son avenir. Elle se voyait sur le pont d'un paquebot, faisant au revoir de la main à tous ceux qui l'auraient accompagnée jusqu'au quai. Elle porterait sa montre, sa belle robe en vichy et peut-être un chapeau avec une voilette. À Paris, à Londres, à Vienne, elle assisterait à des concerts. Alors tout pourrait arriver, même le regard d'un jeune homme posé sur elle. Pendant l'entracte, elle discuterait avec Berthe des morceaux qu'elles venaient d'entendre. Mais lorsque sa mère disparaîtrait le temps d'aller «aux lavabos», le jeune homme s'approcherait. Ce serait un écrivain, un pianiste ou un médecin comme son père, et il lui demanderait la permission de la revoir.

Et puis le cœur de Marie se serra. Cette histoire était impossible et peu souhaitable. Elle n'avait pas envie de quitter sa famille et de vivre dans un pays où elle se sentirait isolée, fût-elle amoureuse et mère de trois enfants. Rien que l'idée de la peine que ses parents éprouveraient à son départ lui faisait modifier son rêve : elle rencontrerait son mari à l'automne, en cueillant des pommes à Saint-Hilaire. Au moment où elle descendrait de l'échelle, quelqu'un lui tendrait la main et ce serait lui. Il n'habiterait pas loin, à Saint-Marc ou à Saint-Mathias et elle pourrait ainsi rendre visite à ses parents tous les jours. Cependant elle se tourmentait à l'idée d'abandonner Bruno pour «faire sa vie». Qui, alors, s'occuperait de lui quand il serait souffrant? Pourraient-ils encore fêter leur anniversaire ensemble? Marie se dit qu'épouser Hubert Vanier réglerait tous les problèmes. Elle habiterait sa vie durant au bord de l'eau, à cinq maisons de celle de ses parents, et jouerait même la nuit sur le *Steinway* de celle qui deviendrait sa belle-mère. Mais quelque chose lui disait qu'Hubert Vanier ne resterait pas longtemps dans sa vie même si elle savait bien qu'il l'aimait en silence. Quand, à table, Madame Vanier avait dit à Berthe : «Nous devrions songer à marier nos enfants plus tard, ainsi nous ne serions jamais séparées», Hubert avait fixé Marie en rougissant. «Si les histoires d'amour pouvaient être aussi simples... Tout le monde serait heureux!» avait répondu Berthe. Marie avait alors surpris sa mère jeter un discret regard de connivence à Paulette et Paulette avait rougi elle aussi. «Et toi Bruno? avait poursuivi Madame Vanier. As-tu une petite idée, même à onze ans, de celle que tu voudrais épouser?» Bruno avait haussé les épaules. Alexandre riait. «Pourtant il y a le choix, avait insisté Madame Vanier. Les filles Lepoutre, les filles Anctil, les filles Laurendeau!» Bruno avait répondu qu'il ne voulait tout simplement pas se marier. «Alors que feras-tu? Prêtre? Comme moi?» Voilà qu'Arthur s'était mis de la partie. Et Jean avait dit, d'un air furieux : «Et alors? Qui a-t-il de mal à vouloir devenir prêtre?».

Dans son lit, Marie s'agitait. Elle aurait voulu que l'été dure toujours, que son anniversaire ne se termine pas et que le mois de septembre n'arrive jamais car alors l'école recommencerait, Bruno entrerait au Brébeuf avec Jean, Paulette repartirait au couvent de Saint-Césaire et la vie serait bien ennuyeuse.

Le réveil-matin luisait dans le noir. Il était minuit passé. Son anniversaire était fini. Alors les yeux de Marie se remplirent de larmes.

XVI

La semaine précédant la rentrée des classes fut courte et triste. Marie surprenait Bruno aller comme une âme en peine. Elle savait qu'il pensait au collège, aux pères en soutane noire – des geôliers – et n'était rassurée sur le compte de son frère que lorsqu'il réparait toutes sortes de petites choses dans le hangar, avec Bouley, ou bien qu'il travaillait dans le potager. De temps en temps, il arrivait même qu'il joue au train électrique avec Jean. Ils installaient le circuit dehors et s'amusaient à voyager en temps de guerre. Jean menait les opérations, Bruno exécutait. Un jour la locomotive se disloqua, il fallut la reviser. Bouley donna un coup de main aux garçons et oublia son tournevis dans l'herbe. Jean ne s'en aperçut pas mais Bruno le glissa dans la poche de sa culotte courte. Il s'en servit toute la matinée pour bêcher les plates-bandes autour de la maison et jouer à l'enfoncer là où la terre était sèche. Il œuvrait assis, visait tout près de ses cuisses, entre deux cailloux, ou avançait son corps et plantait le tournevis au milieu d'un petit monticule de mousse. Il ne tarda pas à rater son coup et à enfoncer le tournevis de toutes ses forces dans sa jambe, juste au-dessous du genou, contre le tibia. La douleur fut épouvantable mais plus encore la vision du manche sortant de sa jambe. Il retira très vite le tournevis et, à la vue de ce qui recouvrait la lame – une sorte de gelée sanguinolente – il s'évanouit. Au même moment, Marie sortait de la maison. Elle aperçut son frère allongé contre la porte du hangar, la jambe en sang, un tournevis dans ses mains et avisa à l'instant la voiture d'Alexandre. Heureusement, son père était là. Elle courut jusqu'à son cabinet et revint immédiatement avec lui sur les lieux du drame. Lorsqu'Alexandre se pencha sur Bruno, Marie déclara : «À mon avis, c'est un cas de piqûre au tétanos. Le tournevis est tout rouillé».

Il fallut faire asseoir Bruno dans la cuisine et immerger sa jambe dans un grand seau d'eau. Alexandre y versa un peu d'alcool à friction et quelques gouttes d'eau de *Javel*.

– Fillon! Donne-moi du gros sel.

Il avait son air sévère. Bruno était blanc comme un linge.

– Ne bouge pas tant que je ne te le dirai pas, Bruno. Même si ça brûle.

Dans ces cas-là, Berthe perdait toujours ses moyens et ne trouvait rien de ce qu'Alexandre exigeait.

– Du gros sel, Fillon. Y'en a, non?

Elle avait l'air d'une poule dans son poulailler. Elle cherchait partout et n'allait nulle part en répétant : «Bruno! Bruno... Mon Dieu! Qu'est-ce qui s'est passé?». Marie restait immobile devant son frère et regardait l'eau rougir dans le seau.

– Ça saigne encore, papa...

– Ça va s'arrêter, dit Alexandre. Il faut attendre un peu.

Plus tard, on coucha Bruno dans son lit. Alexandre lui avait fait une piqûre antitétanique et avait recouvert la plaie d'une bande de gaze. Cependant Bruno ne retrouvait pas ses couleurs et Berthe s'inquiétait. Marie aussi d'ailleurs, mais elle ne disait rien. «C'est l'émotion, déclara Alexandre. Ça va lui faire du bien de dormir.» À ce moment-là Thérèse surgit dans la chambre avec Jules Lepoutre.

– Qu'est-ce qui se passe? demanda-t-elle. Bouley dit que Bruno a eu un accident très grave.

– Laissez-le dormir. Il s'est seulement blessé avec un tournevis.

– Comment? Comment, papa?

– Un tournevis lui est rentré dans la jambe par malheur, dit Marie.

Thérèse fit une moue et resta pensive. Puis elle prit le bras du petit Lepoutre.

–Viens-tu avec nous Marie? On mange chez les Lepoutre à midi.

– Non. Je reste soigner Bruno.

– T'as pas besoin de rester, il dort!

Berthe fit sortir les enfants de la chambre et laissa Marie seule avec Bruno. Thérèse et Jules s'en allèrent jouer dans la chambre d'à côté, mais Marie les entendit bientôt chuchoter dans le couloir. Ils étaient inséparables et faisait plein de mauvais coups. Parfois Thérèse se battait avec Jules. Que tramaient-ils encore? D'en bas, Berthe leur cria d'aller jouer dehors. Juste avant de dévaler l'escalier, Thérèse parla assez distinctement pour que Marie l'entende dire : «Moi je suis sûre que Bruno a fait exprès de se rentrer un tournevis dans la jambe. C'est pour pas aller aux jésuites!».

Le soir, après le dîner, Marie traîna autour de la table. Elle voulait parler à ses parents. Mais Alexandre fit une partie de billard avec Arthur et Berthe décida de prendre son bain. En les attendant, Marie joua des airs doux pour endormir Bruno. Bientôt Arthur monta en disant qu'il allait lire la vie d'Abraham Lincoln, Berthe descendit en robe de chambre et Alexandre lui demanda de faire du thé. Marie les rejoignit dans la cuisine.

– Tu devrais aller te coucher Marie, dit Berthe. Tu dois être fatiguée.

Marie baissa les yeux. Elle était toujours intimidée à l'idée d'aborder des discussions graves comme la fois où elle leur avait demandé d'être pensionnaire. Elle ne savait pas comment s'y prendre et craignait souvent que son père ne se fâche. Ses colères étaient courtes mais terribles. Quand il claquait les portes et les tiroirs en jurant, il faisait peur à tout le monde. Mais il savait redevenir drôle comme un singe, quelques minutes après avoir crié à Berthe «qu'il en avait plein le dos de cette maudite vie-là!».

– La semaine dernière j'ai eu treize ans, dit Marie.

Alexandre et Berthe la regardèrent avec surprise.

– Donc je ne suis plus une petite fille et je sais de quoi je parle.

Elle restait debout, mal à l'aise et, au fond, elle ne savait pas trop si elle savait de quoi elle parlait. Ce n'était qu'une idée de son cœur...

– Je crois que Bruno ne devrait pas aller au collège.

Elle baissa de nouveau les yeux puis elle dit :

– Il est trop malade.

Alexandre et Berthe eurent un mouvement semblable en se voûtant comme pour se rapprocher de ce que Marie avait à dire. Du temps passa. Enfin, ils expliquèrent à Marie qu'ils avaient de la peine eux aussi à l'idée que Bruno s'en aille au collège, mais que c'était la vie d'un garçon et que le garder à la maison serait pire encore que les difficultés qui l'attendaient. Il fallait lui donner toutes les chances de réussir, c'est-à-dire une instruction solide dans un établissement de grande réputation. Cela exigeait des sacrifices, et être pensionnaire à Montréal était le plus grand.

– Il reviendra aux fêtes, à Noël et même en octobre, à l'Action de grâces! dit Berthe.

Sur ces mots, elle cacha son visage dans ses mains.

– Voyons, Fillon! Montre au moins l'exemple sinon on va tous pleurer comme des Madeleines.

Cela suffit à rassurer Marie. Pourtant elle demanda encore :

– Oui, mais est-ce que sa santé lui permet vraiment d'être pensionnaire?

Une sorte de préoccupation passa dans les yeux d'Alexandre. Il aida Berthe à se relever et se dirigea vers Marie.

– Il faut dormir. C'est la meilleure façon, justement, de rester en santé.

Le lendemain, Bruno fit de la bicyclette avec son bandage. Ça brûlait un peu, Marie vérifiait l'état de la plaie aux deux heures et, après tout, il restait quelques jours de vacances. Il s'agissait de ne pas les gâcher!

XVII

À treize ans, Marie en paraissait dix-huit. Elle dépassait Jean d'une bonne tête et elle était deux fois plus grande que Thérèse. Elle semblait avoir poussé brusquement, comme si le temps pressait. Un homme aurait pu en tomber amoureux, devenir fou de ses jambes longues, de ses hanches déjà prêtes à porter des enfants et de ses cheveux qui tombaient en vagues quand ils n'étaient pas maintenus par des barrettes. Et il aurait fallu un certain temps pour que l'homme s'aperçoive qu'elle ne savait pas quoi faire de ses jambes et de son corps dont elle ignorait la volupté. À partir de son anniversaire, pourtant, une petite lueur d'innocence joyeuse disparut de ses yeux et laissa la place à quelque chose de plus grave, une sorte de certitude des choses.

Marie n'était plus une enfant. Elle s'occupait de Thérèse différemment, un peu comme une mère, et Thérèse ne savait pas s'en passer. Marie lui avait appris à faire voguer des bateaux de carton dans la rivière, à ramer, à faire aller les chiens à droite, à gauche ou tout droit quand elles se promenaient dans le traîneau. Le matin elles se rendaient à l'école ensemble, le soir elles rentraient ensemble à la maison, en autobus ou à pied. Thérèse demandait l'avis de Marie sur tout et Marie orchestrait ses activités tendrement : «Pendant que je pratique mon piano, tu feras tes devoirs, après je les corrigerai, après on aidera maman à préparer le dîner et si on a le temps on jouera dehors». Marie veillait aussi au coucher de Thérèse ; elle lui racontait une histoire, redescendait encore lui jouer un morceau de piano pour l'endormir et Thérèse sombrait dans le sommeil en toute quiétude. Quand elle se réveillait, sa sœur était déjà occupée à ranger leurs cahiers et leurs livres dans leur cartable respectif, à vérifier l'état de leurs robes de couventines, noires, en gros drap. Les deux filles partaient après avoir pris leur petit déjeuner côte à côte. Les matins d'hiver étaient merveilleux ; le soleil scintillait sur la neige immaculée, puis elle s'envolait en poudre sous les rafales qui obligeaient Marie et Thérèse à baisser la tête ; elles pleuraient à cause du froid et riaient en même temps. Mais les matins d'automne ou de printemps étaient encore plus merveilleux. Elles traînaient sur le chemin du retour, allaient d'une maison à l'autre par les champs, s'arrêtaient chez les Lepoutre, les Vanier ou les Anctil et y trouvaient parfois leur mère.

Ce fut chez les Lepoutre que, au tout début du mois de septembre, Marie apprit la grande nouvelle. Berthe se trouvait dans la cuisine avec Henriette. Les deux femmes buvaient du café et picoraient des biscuits dans une boîte en métal. Quand elle aperçut les filles, Berthe s'écria, avec un grand sourire : «Marie, j'ai une belle surprise pour toi. Tu vas être folle!». La chose se manigançait depuis quelque temps déjà, de connivence avec monsieur le curé : il s'agissait de monter une pièce de théâtre dans laquelle les enfants des notables de Belœil tiendraient un rôle. Les costumes seraient confectionnés par les mamans, les décors par les acteurs eux-mêmes et la mise en scène assurée par les religieuses des Saints-Noms-de-Jésus-et-de-Marie. On donnerait la première le 20 décembre et la représentation marquerait le début des vacances de Noël. Les filles poussèrent des cris de joie. Puis Marie s'assombrit.

– Dommage que Paulette soit à Saint-Césaire et Bruno au Brébeuf, murmura-t-elle.

– Mais pourquoi? Ils seront là le 20 décembre! dit Henriette en lui prenant la main.

– Peut-être. Mais ils n'auront pas de rôle.

– Veux-tu au moins savoir quelle pièce Monsieur le curé souhaite monter avec vous? demanda Berthe en faisant asseoir Marie à ses côtés.

– Oui. Bien sûr!

Déjà le sourire revenait sur les lèvres de Marie.

– *Blanche-Neige*, souffla Berthe. Et devine donc qui tu seras dans cette histoire-là!

Marie sourit pour de bon.

– Blanche-Neige! Je serai Blanche-Neige...

Devenir un personnage de conte de fées, comme ça, du jour au lendemain! Berthe avait raison : c'était une bien grande nouvelle alors qu'on venait à peine de commencer l'école. Et il restait trois bons mois pour se préparer!

– Et moi? Quel rôle j'aurai? s'écria Thérèse.

Berthe lui sourit.

– Tu es trop petite encore. Le curé Guillet a décidé que les enfants devaient avoir dix ans au moins.

– Ce n'est pas juste!

Elle fondit en larmes et Marie la serra contre elle. Pourquoi la tristesse se mêlait donc toujours de la joie? Voilà qu'elle était heureuse et que Thérèse pleurait. Voilà qu'on lui offrait le plus beau des rôles alors qu'elle ne connaissait rien au théâtre et que, pendant tout ce temps, Paulette et Bruno resteraient confinés dans leur pensionnat, en marge du bonheur de cette aventure. Thérèse lui faisait pitié. Si cela avait été possible, elle lui aurait offert son rôle.

– Pourquoi moi? demanda Marie. Pourquoi pas Gertrude ou Émilie Valiquette?

Berthe regarda Marie avec tout l'amour du monde.

– Parce que le curé a dit que tu étais la seule qui pouvait approcher la beauté de Blanche-Neige.

Marie écarquilla les yeux et Berthe comprit que sous ses allures de jeune fille, Marie était encore une petite enfant qui ne savait rien de sa grâce, de sa bonté, de sa beauté. Elle était bel et bien faite sur le modèle de Blanche-Neige : un bouquet de petites perfections.

– Oui mais Blanche-Neige meurt! s'écria Thérèse. Et je ne veux pas que Marie meurt!

Le cœur de Berthe se serra.

– Voyons donc Taro! s'écria-t-elle. Souviens-toi de l'histoire! Qu'est-ce qui se passe dans l'histoire?

– Le prince veut transporter le cercueil de Blanche-Neige et il trébuche, alors le cercueil tombe et Blanche-Neige rejette le morceau de pomme empoisonnée qui était dans sa gorge et elle se réveille!

– Comme la Belle au bois dormant..., murmura Marie.

– Un peu, approuva Berthe.

Thérèse battit des mains.

– Mais qui sera le prince?

– Nous avons pensé à Hubert Vanier, répondirent Berthe et Henriette en même temps. Mais il ne le sait pas encore.

Marie se perdit dans ses pensées. Elle était déjà au 20 décembre, sur la scène du couvent de Belœil. Depuis des années, au mois de juin, c'était là que l'on procédait à la remise des bulletins et des prix. L'événement se doublait d'une séance générale et chaque couventine y allait de sa petite performance. Une récitait une fable, une autre esquissait quelques pas de danse, une autre chantait une berceuse. Chaque année, Marie jouait un morceau de piano. Les parents applaudissaient bien fort, les religieuses félicitaient les élèves en s'inclinant devant l'assistance et on se réunissait pour faire honneur aux petits sandwiches aux œufs et au jambon que les couventines avaient elles-mêmes préparés. Comme la vie était étrange. L'hiver dernier, Marie avait été alitée pendant des semaines à cause de ses rhumatismes. Un retard impossible à rattraper au couvent, des notes catastrophiques en arithmétique. Du coup, et en dépit de ses efforts, elle n'avait pas été première. Et cette année, elle deviendrait Blanche-Neige! Marie considérait cela comme un honneur qu'elle n'avait pas mérité. Mais elle était contente que le curé Guillet ait pensé à elle.

— Sœur Marie-Épiphane n'a pas eu besoin d'insister pour convaincre Monsieur le curé de t'assigner ce rôle, poursuivit Berthe. Tes notes en français ont compté pour beaucoup dans sa décision de te le donner.

— C'est vrai que mes notes sont bonnes en français.

— Eh bien tu m'aideras à peaufiner le texte que je dois tirer de *Blanche-Neige*, déclara Berthe. Car on m'a confié le soin du scénario!

Sur ces mots, prenant un air de grande dame anglaise, Berthe dit : «N'est-ce-pas fabuleux?». Tout le monde rit et passa au salon. Berthe se mit à fouiller dans la bibliothèque d'Henriette et repéra deux exemplaires de *Blanche-Neige* : un publié à la librairie *Gründ* et contenant d'autres contes des frères Grimm (elle le garderait pour son adaptation), et un livre d'images pour Marie et Thérèse.

— Il faut lire le conte plusieurs fois pour s'imprégner du rôle, indiqua-t-elle. Regardez attentivement les images et faites attention aux petits détails. C'est un conte de fées, et pourtant on y croit car le merveilleux peut devenir réel. Mais il faudra s'arranger pour avoir notre mot à dire dans la mise en scène des bonnes sœurs. Qu'elles ne nous fassent pas une niaiserie à l'eau de rose!

Pendant un quart d'heure, Marie et Thérèse étudièrent le conte selon les directives de Berthe. Puis Berthe dit :

– Sacha doit se demander où nous sommes. On va rentrer. Tu me prêtes les livres, n'est-ce-pas Henriette?

Madame Lepoutre hocha la tête affirmativement et raccompagna tout le monde à la porte.

– Et Paulette? demanda Marie. Vous avez des nouvelles?

– Non. Mais un de ces dimanches nous t'emmènerons la voir au couvent de Saint-Césaire.

– Est-ce qu'elle sait pour *Blanche-Neige*?

– Tu le lui écriras. Et je suis certaine qu'elle sera bien contente pour toi!

Marie sourit. Maintenant elle avait l'impression que son cœur riait. Quand son père saurait ça! Et Bruno! Et l'oncle Arthur! Et Berthilie! Sa tante religieuse viendrait peut-être même assister à la représentation cinq jours avant Noël et passerait ainsi presque un mois avec eux! Marie aurait voulu que le 20 décembre soit déjà là, être Blanche-Neige et porter une robe à collerette de velours noir. Puis elle se demanda ce qu'elle ferait d'elle-même à la toute fin de cette année 1942, après un si grand événement dans son existence. Une grande joie l'habitait mais cette joie n'était pas assez puissante pour dissiper l'inquiétude qui se frayait un chemin dans son cœur.

– Tout va bien Marie? demanda Berthe. Tu es contente?

– Oh! Oui! dit-elle en souriant.

Lorsqu'elles furent à quelques mètres de la maison, Thérèse les dépassa, ouvrit brusquement la porte de côté et se précipita dans le salon en criant : «Papa! Papa! Marie sera Blanche-Neige! Marie sera Blanche-Neige!».

Mais Alexandre n'était pas là et ce fut Marie qui apprit la nouvelle à son père dès qu'il rentra de ses visites.

XVIII

Bruno et Jean revinrent à la maison à l'Action de Grâces. Ce jour-là, Marie se leva très tôt, prit son bain, se lava les cheveux et fixa leur mouvement alors qu'ils étaient mouillés pour qu'ils bouclent davantage. Le choix de sa robe l'occupa longtemps. Elle avait envie de porter celle en vichy parce que c'était celle de son anniversaire, mais c'était une robe d'été, une robe qu'elle ne devait plus jamais porter. Elle aurait bien fouillé dans les affaires de sa mère, mais Berthe était plus petite, plus grasse, et Marie se trouvait encore trop jeune pour porter une de ses robes, même la verte en shantung qui lui faisait vraiment envie. Berthe ne l'avait portée qu'une seule fois. Elle disait que le vert lui portait malheur : «Quand mon père est mort, rappelait-elle, j'avais un petit manteau en velours vert bouteille. Je ne l'ai jamais remis». Et le jour où Berthe avait porté la robe verte en shantung, elle s'était en effet violemment disputée avec l'oncle Arthur. Enfin, Marie choisit une robe en crêpe grenat puis elle descendit à la cuisine.

Berthe était occupée à préparer une dinde qu'elle servirait avec des pommes de terre au four et des carottes en rondelles revenues dans du beurre. Avec Thérèse, Marie aida sa mère à couper les légumes, à nettoyer les ustensiles, à dresser la table. Comme il n'y avait plus de fleurs dans le jardin, elle cueillit des feuilles d'érable : les petits bouquets rouge et or flottaient dans un plat de service en verre, légèrement creux ; ils se mariaient bien au jaune clair de la nappe du dimanche et aux serviettes brodées assorties. Il y avait plus d'un mois et demi que Marie avait vu ses frères et il lui tardait surtout de revoir Bruno. À cause de *Blanche-Neige*, elle l'avait un peu négligé et s'en voulait de ne pas lui avoir écrit aux deux jours, comme elle le lui avait promis.

Puis Marie maîtrisa son impatience en pratiquant son piano. Elle passait de Mozart à Schumann et de Chopin à Haydn sans émotion, tournant fébrilement les pages des partitions et s'arrêtant court à la première difficulté. De la cuisine, sa mère lui reprocha de jouer sans âme. Alors Marie tâcha de s'imprégner de la mélancolie de Chopin et de l'allégresse de Mozart, mais elle n'avait le cœur qu'à voir apparaître Bruno et à être rassurée sur son compte. Elle appréhendait de le trouver cerné, amaigri et taciturne. Quand elle entendit enfin le ronronnement de la grosse *Buick* dans l'allée, elle rabattit bruyamment le couvercle du clavier et se précipita dehors. Les feuilles crissèrent sous ses pas et le petit vent doux qui lui caressa le visage suffit à effacer tout le temps passé, les pluies fines et humides du début d'octobre, les branches noires des arbres sur le point d'affronter l'hiver. Et Marie retrouva Bruno comme si l'été n'avait jamais cessé. L'enceinte du collège appartenait à un autre monde et n'avait rien à voir avec eux, leur entente, leur vie – le vrai. Pourtant Marie ne put s'empêcher de poser des questions sur ce qui se passait «là-bas».

– Que manges-tu au collège?

– Toujours la même chose : du bœuf plein de nerfs dans une sauce qui sent et qui goûte la pisse, et puis des patates avec des taches noires dessus.

– Mais c'est dégoûtant! s'écria-t-elle.

– Oui.

Bruno balaya tout cela d'un geste de la main mais Marie revint à la charge :

– Avec qui manges-tu?

– Avec tout le monde.

– Qui tout le monde?

Bruno haussa les épaules et la regarda sans véritable expression.

– C'est comme au couvent de Belœil pour toi. Les sœurs c'est des pères et les élèves des garçons. C'est grand. On n'a pas le droit de parler, un frère lit une page de la bible, des épîtres ou des spaumes...

– Psaumes!

Après un temps mort, la conversation reprit.

– Et la nuit, c'est comment?

– On est tous couchés dans nos lits. Ça fait du bruit.

– Quel bruit?

– Le bruit du surveillant qui marche, du collège qui craque, des bruits d'en bas. Les élèves toussent. Il y en a qui pètent!

Ils rirent.

– Tu es couché à côté de qui? As-tu des amis?

Tout à coup le regard de Bruno devint grave et presque dur. Cela suffit pour que Marie comprenne que ses questions ne servaient qu'à tourner le couteau dans la plaie. Bruno repartirait demain, avant le dîner. L'après-midi serait court et long en même temps, assurément lugubre, et Berthe aurait sa tête d'enterrement. Si elle souriait ce serait encore pire car elle aurait son sourire de circonstance, celui qu'elle faisait quand la situation était grave et qui l'aggravait du simple fait qu'elle souriait comme ça.

En descendant de voiture, Jean embrassa Marie avec chaleur, attrapa Thérèse et la chatouilla jusqu'à ce qu'elle le supplie d'arrêter parce qu'elle allait faire pipi dans ses culottes. Elle hurlait. Alexandre s'en mêla : «Jean! tonna-t-il. Cesse d'énerver ta sœur comme ça!». Berthe accourut aux cris et se retint de pleurer en serrant ses fils contre elle. Elle répétait : «Mon Dieu que je suis contente!». Et puis l'oncle Arthur les rejoignit dans le jardin, sa vieille soutane claquait sur ses genoux, il avait l'air déguisé en prêtre. Cependant, il avait un bréviaire à la main, peut-être parce qu'il avait été occupé à le lire dans sa chambre, peut-être parce qu'il voulait faire bonne impression.

– Alors? Comment se passe la vie chez les jésuites? demanda-t-il. Et mon ami le père Laramée? Vient-il déjeuner ici demain, oui ou non? Le curé Guillet se joindra à nous après la messe. La conversation ne sera pas triste!

L'oncle entraîna Jean dans la maison.

– Où en es-tu en latin? Est-ce que ma méthode t'a aidé dans les superlatifs? Et en français? Avez-vous enfin travaillé Bossuet? Quelle oraison préfères-tu?

Il parlait vite et marchait vite en se frottant les mains. Comme Jean s'apprêtait à répondre (en latin, le maître s'était moqué de la «méthode» d'Arthur, et il confondait Bossuet et la Bruyère), son oncle le coupa pour s'enquérir du repas du soir.

– As-tu prévu autre chose que du steak et des patates, Berthe? Ces garçons-là ont besoin de légumes! De vitamines!

Mais il ordonnait dans le vide.

Chaque minute du congé comptait, d'autant plus qu'à cette époque de l'année, la nuit tombait vers cinq heures. Bouley apporta des râteaux, Bruno et Marie entreprirent de faire un tas avec les feuilles qui couvraient le jardin, et dans lequel Thérèse sautait à mesure. «Attends donc que le tas soit plus gros!» disait Marie, toute à la hâte de prendre aussi son élan et de se jeter dans le coussin de feuilles mœlleuses et craquantes à la fois. Cela ne tarda pas. Le tas devint énorme, une vraie petite montagnette, et les enfants couraient autour avant de sauter dedans. Puis, le temps de retrouver leur souffle, ils s'y allongeaient et observaient les nuages, blancs, cotonneux, parcourant un ciel intensément bleu comme il y en a en juillet.

– On dirait le même bleu que celui de la robe de la statue de la Sainte Vierge devant le couvent de Belœil, dit Marie.

– Regarde celui qui s'en vient, s'écria Bruno.

– Lequel? Lequel?

– Celui qui va vers le pont. On dirait une face avec une barbe. Il ressemble au père Robidoux!

– C'est qui le père Robidoux?

Et Brébeuf revint s'immiscer dans ce samedi qui commençait si bien.

– Dire qu'il va falloir aller à la messe demain matin! soupira Bruno.

– Une fois par semaine, ça ne peut pas faire de mal! rétorqua Marie. Après on ira acheter les journaux et on lira les *Comics*!

– Au collège, la messe c'est tous les jours. À six heures du matin en plus!

Une fois de plus, Marie s'apitoya sur le sort de Bruno. Décidément, la vie d'un garçon n'avait rien d'enviable en comparaison de la sienne, bien douce en vérité, même si souvent c'était dur, surtout l'hiver quand elle marchait jusqu'à l'école dans les ornières que des carrioles tirées par des chevaux avaient tracées sur la route. Cependant, à six heures du matin, elle, au moins, dormait encore, et ne se réveillait que lorsque son père descendait pour la quatrième fois de la nuit remplir le poêle à bois. C'était bien leur seule «misère» car, malgré la vigilance d'Alexandre, les filles se glissaient chaque soir dans des draps glacés et se réveillaient dans une chambre froide comme un tombeau.

– Au collège, c'est chauffé au moins? demanda-t-elle.

– C'est bien moins froid qu'à la maison!

Marie fut soulagée de cette réponse. De nouveau, elle se retrouvait sur un pied d'égalité avec Bruno. Mais cela ne suffit pas à dissiper son impression d'être coupable : elle restait, il partait. Son bateau à elle avançait sur une mer d'huile, toujours la même, alors que Bruno affrontait des écueils. C'était la différence entre découvrir et observer, conquérir et posséder, vivre et mourir. Bruno allait à la rencontre des choses, Marie les voyait venir des semaines à l'avance. Ainsi, après l'Action de grâces, il y aurait de longues semaines étales comme une plaine sous la neige, le couvent, les soirées toutes pareilles, puis ce serait Noël – la fin d'une année, le début d'une autre. Bruno reviendrait encore plus imprégné de ces jésuites de malheur, et Marie sentirait peut-être ce qui, peu à peu, se dressait entre Jean et elle : un mur infranchissable s'érigeant lentement mais sûrement au fil des années entre les garçons et les filles, et dont le collège, la philosophie, les pères et leur savoir étaient responsables. Pour que tout cela se dissipe, il faudrait les vacances de Noël, les tours en traîneau avec Tommy, les folies de l'oncle Arthur, les discussions s'éternisant à table avec ceux qui s'arrêtaient voir le docteur Sacha pour se confier à lui.

Parfois, il ne suffisait que d'une remarque lancée par Alexandre, comme ce fut le cas le lendemain, après la messe, pour que la conversation se transforme en joute. L'oncle Arthur discutait de Sodome et Gomorrhe avec le père Laramée et le curé Guillet. Ils parlaient tous en même temps, les coudes sur la table, entre deux grandes lampées de vin rouge. Ils avaient brusquement repoussé les assiettes qu'ils avaient vidées – plus une rondelle de carotte ni un brin de persil collé dans la sauce refroidie.

– Dis-moi, Guillet! s'écria Alexandre. Vas-tu finir de raconter des sornettes en chaire? Y'aurait pas moyen d'améliorer tes sermons?

Le curé brandit son verre de vin comme pour appuyer ce qu'il déclara avec un air de pontife en mission.

– Alexandre! Tu apprendras que ma position de curé de la paroisse m'oblige à descendre au niveau de la masse.

– Tes fidèles ont beau être des cultivateurs qui empestent la bouse de vache, ce n'est pas une raison pour les considérer comme les derniers des imbéciles, renchérit Alexandre.

Il parlait avec humour et bonté et fit un clin d'œil à ses enfants lorsque Guillet se lança dans ses explications.

– Bienheureux les pauvres d'esprit, Alexandre! Mon devoir est de transmettre la bonne nouvelle. Pour ce faire, j'emprunte le chemin de ma consience. Et ma conscience m'indique, m'oblige! à leur parler un langage simple et accessible.

– Sodome et Gomorrhe, les statues de sel, la mer qui s'ouvre en deux et Élie sur son char de feu! Ça veut pas dire s'aimer les uns les autres et faire son possible dans la vie, reprit Alexandre. Ce monde-là a besoin d'espoir et de gros bon sens. Pas de folies pareilles! C'est comme l'évêque de Saint-Hyacinte qui a fait manger des timbres de la bonne Sainte-Anne au notaire pour le guérir de ses ulcères d'estomac! Voyons Guillet! T'es plus intelligent que ça!

– C'est vrai ça papa? C'est vrai? demanda Thérèse.

– Et comment si c'est vrai! Tu y étais cette fois-là, Guillet! Oui ou non?

Berthe poussa un grand soupir. Puis elle invita les prêtres à passer au salon et proposa un alcool. Ils acceptèrent sans se faire prier. Les enfants en profitèrent pour s'éclipser. Une fois sur la galerie, Bruno dit :

– On a oublié d'acheter *La Patrie* et *Le Petit Journal*!

– On n'aura pas eu nos bandes dessinées, murmura Marie.

– C'est moi qui lit *Philomène* en premier! s'écria Thérèse.

– Alors demande dix sous à papa pour acheter le journal, rétorqua Jean.

Les enfants répugnaient à faire cette requête-là à leur père car il leur répondait sèchement même à la sortie de la messe, quand tout le monde était à peu près de bonne humeur. «Pourquoi dix *cents*? grognait-il. Pour acheter le journal? Vous n'avez pas besoin de ça!» Mais l'envie de découvrir la suite des aventures de *Mandrake* ou de *Philomène* l'emportait sur le désagrément de subir le mécontentement de leur père que, d'ailleurs, ils ne comprenaient pas.

– De toute façon, ça ne sert à rien, reprit Jean. Il est déjà trois heures. Dans un quart d'heure papa va nous dire de nous préparer pour rentrer au collège.

La joie tomba d'un coup et la tristesse du dimanche sur son déclin s'empara des enfants. Les filles ne reverraient leurs frères que deux mois plus tard, pour les vacances de Noël, à moins que l'un d'eux ne tombe malade avant. Quand la *Buick* d'Alexandre s'engagea sur la route, Marie se rendit compte qu'elle n'avait même pas dit à Bruno qu'elle serait Blanche-Neige. Le soleil baissait à l'horizon. Un petit vent sec se mit à souffler et des feuilles mortes volèrent au-dessus des tas à moitié écrasés. Autour de la maison les champs s'étendaient à perte de vue, déserts. Alors Marie souhaita que l'hiver vienne vite, que la neige recouvre cette désolation et qu'on soit déjà à Noël. Mais cette année-là, elle n'y arriverait pas.

XIX

Blanche-Neige reprit toute la place. Au couvent, dans les maisons, dans le bureau de Monsieur le curé, après la messe, on ne parlait que de cela. La distribution des rôles, surtout, engendrait des discussions interminables car il ne fallait blesser personne. Les sœurs envisagèrent même de faire jouer les sept nains par des couventines afin d'éviter toute promiscuité avec les garçons. Berthe dut se rendre au couvent un après-midi et convaincre la révérende mère que cette idée était non seulement ridicule mais offensante pour les enfants qui avaient déjà commencé à répéter. Le 20 décembre était loin et tout proche à la fois. À peine deux mois de répétitions, ce n'était rien. Entre l'école, les devoirs à faire, les cours et les pratiques de piano, Marie devait en plus travailler son rôle. Ce n'était pas facile de répéter seule car on ne pouvait réunir la troupe que le samedi ou le dimanche. Cependant, Madame Vanier convoquait souvent Marie pour le goûter et, après avoir servi des tartines de confiture et du chocolat au lait chaud dans la cuisine, elle suggérait aux enfants de monter s'imprégner de *Blanche-Neige*. Hubert ne se faisait pas prier pour entraîner Marie à l'étage, dans sa grande chambre de fils unique. Des fenêtres donnant au sud, on voyait très bien la rivière, et le pont. De celles donnant à l'ouest, on distinguait la maison de Marie. Chaque fois que Marie se trouvait dans cette pièce, elle passait un moment devant la fenêtre à observer son univers, de haut et de loin.

– On voit bien toutes les maisons, n'est-ce-pas Marie? murmura Hubert. Jusqu'à celle des Fontaine. La vois-tu? Regarde : la maison des Ledoux, la tienne, et juste avant, celle des Anctil...

Marie approuva en retenant un soupir. Elle se sentait mal à l'aise, entre deux mondes, libre sans l'être, pressée de vivre et enfermée dans l'enfance. Son grand corps de jeune fille la gênait, et plus encore lorsqu'Hubert s'approchait d'elle. Elle l'entendait venir dans son silence et demeurait immobile, immobile comme une statue. Elle ne soutenait pas son regard non plus, intense et muet. Mais elle voyageait dans le temps : dans dix ans, Hubert serait toujours là, à l'attendre, et elle ne pourrait rien pour lui, pas plus qu'elle ne le pouvait aujourd'hui. Il n'y aurait pas de fin heureuse pour eux, comme dans l'histoire de Blanche-Neige, puisque Marie serait morte à jamais pour ce prince-là.

Hubert sentait tout cela confusément mais sa jeunesse s'agrippait à l'espoir. L'après-midi, après l'école, il observait souvent Marie par la fenêtre de sa chambre. Elle marchait entre Thérèse et Tommy. Elle portait sa robe de couvent, noire, lourde et bien empesée. Hubert préférait Marie en été, avec sa robe à col bateau, ou avec celle de son anniversaire, en vichy. En se postant à la fenêtre, il attrapait des bouts de la vie de Marie d'une saison à l'autre. Elle était avec Bruno et Jean, dans le canot avançant vers Saint-Hilaire, claquait la portière de la *Buick* de son père au retour d'une visite, sortait de chez les Lepoutre, descendait seule jusqu'à la berge et disparaissait derrière les peupliers. Quand il la revoyait se diriger vers la maison, il l'imaginait entrant dans la cuisine, passant au salon, s'asseyant au piano. Elle se tenait bien droite et ses mains fines glissaient sur le clavier. Seulement, elle ne jouait pas pour lui. Tout à coup, sa mère le rappelait à l'ordre : «Hubert! Que fais-tu seul dans ta chambre? Descends!». Il promenait encore son regard sur la série des maisons, les champs tout autour, la rivière, le mont Belœil. La nuit tombait. Marie ne ressortirait plus de chez elle.

– Je dois partir, dit Marie.

– Déjà?

Hubert fut incapable de cacher sa déception. Il se sentait ridicule. Cet après-midi encore, il avait ravalé tout ce qu'il aurait voulu dire à Marie et qu'il lui criait en silence, la nuit, une fois couché dans son lit. Il pensait alors qu'elle était couchée elle aussi, à cinq maisons de sa maison à lui. Que son lit était dans le même sens, entre les fenêtres donnant au sud, et que la rivière coulait derrière eux. Demain, dimanche, bientôt, ils seraient de nouveau réunis pour répéter *Blanche-Neige*. Mais en vérité, cette pièce de théâtre qui n'en était même pas une était une supercherie, une torture, un bonheur empoisonnant.

Cet après-midi-là, Marie regarda Hubert avec ses grands yeux presque noirs et tellement graves qu'il eut peur de la peine qu'elle allait lui confier.

– Jure-moi que tu n'en parleras à personne, dit-elle.

Il hocha la tête et pria Marie de s'asseoir à côté de lui sur une petite causeuse.

– Ça me trotte dans la tête depuis le début.

– Quoi donc? murmura Hubert.

Rarement il avait vu Marie pleurer. Aujourd'hui encore elle maîtrisait ses émotions, regardant droit devant elle comme quand elle jouait du piano, et ses yeux, légèrement plissés, avaient l'air de déchiffrer une partition. Elle regardait si loin qu'il était impossible d'aller la rejoindre là où elle était. Alors Hubert comprit la peine que le prince avait dû ressentir en découvrant Blanche-Neige dans son cercueil de verre : il rencontrait enfin celle qu'il avait toujours attendue mais elle était morte sous ses airs de vivante endormie. Il ne lui resterait plus qu'à vouer un culte à sa beauté figée.

– Dis-moi ce qui te tracasses, Marie.

– Je ne sais pas si j'ai bien envie d'être Blanche-Neige, dit-elle bien bas.

Ainsi, ils ne se sentaient pas à l'aise dans les rôles qu'on leur avait assignés sans les consulter, tout naturellement. Ils butaient chacun de leur côté sur l'histoire d'amour cachée dans le conte de fées et que tout le monde, dans ce prétexte à réjouissances, interprétait comme un présage. Hubert hésitait entre la peine et la joie. Marie et lui se rejoignaient au moins en pensée! Mais à quoi bon aborder ce sujet? C'était tellement compliqué qu'il ne s'y retrouvait pas lui-même. Cependant Marie gardait ses yeux dans les siens, attendant son commentaire.

– Qui voudrais-tu être, alors? demanda-t-il.

Marie haussa les épaules.

– Je ne sais pas! La reine, par exemple. Ça aurait été plus facile.

Mais Hubert était incapable d'imaginer Marie en train d'interroger un miroir pour savoir qui était la plus belle du royaume. Dans celui de Belœil, et dans tous les royaumes avoisinants, il était bien certain que c'était elle, la plus belle. Et puis, pour tenir le rôle de cette marâtre, il fallait être méchante! Or Marie avait beau lui répondre brusquement à l'occasion ou claquer le couvercle du piano quand elle était fâchée, elle était l'être le plus aimant qu'il lui ait été donné de rencontrer.

– Si tu n'avais pas eu le rôle de Blanche-Neige, tout le monde se serait demandé pourquoi, déclara-t-il.

C'était cela le plus merveilleux, et le plus accablant : ne pas avoir le choix. Marie découvrait qu'elle ne pouvait être que son image. Sa beauté et sa générosité décidaient de son parcours puisque le corps et l'âme mettaient en place le destin, contre le gré de la personne qui aurait à le porter – à l'incarner: Marie serait fatalement Blanche-Neige.

Elle se leva.

– Tu pars?

D'en bas, on entendit Madame Vanier : «Marie! Prépare-toi! Il est déjà cinq heures et demi!».

– Vois-tu? dit Marie en s'engageant dans l'escalier.

– Alors que vas-tu faire? chuchota-t-il. Tu ne peux tout de même pas te désister!

Elle lui jeta un regard déçu. Ne venait-elle pas de l'appeler, de réclamer sa complicité? Hubert contournait l'évidence, parlait de ce qui n'avait rien à voir. Pourtant il savait qu'elle savait, et elle savait qu'il savait. Mais ils ne pouvaient que se taire, ou parler à demi-mots.

– Descendez donc! dit encore Madame Vanier. J'ai quelque chose à vous montrer!

C'était deux cartons ouverts sur leur magie : une robe blanche à collerette noire pour Marie, un costume à pantalons bouffants et un chapeau orné d'une longue plume pour Hubert.

– Madame Lepic vient tout juste de les faire livrer par son fils. J'ai demandé le tien aussi, Marie, puisque tu étais ici. Ils sont magnifiques, n'est-ce-pas?

Marie et Hubert retirèrent leur costume des cartons. Et, pendant un moment, se pavanant devant le miroir en tenant à deux mains leur déguisement par-dessus leurs vêtements, ils redevinrent des enfants.

XX

– Marie!

– Quoi?

– Entends-tu?

– Oui.

Dans la chambre voisine, Berthe se disputait avec Alexandre. Les enfants avaient l'habitude de ces altercations. Lorsque cela arrivait, le matin, l'après-midi, le soir, ils partaient faire un tour. Une fois dehors, ils se jetaient un regard entendu. Il n'y avait rien à faire, sauf endurer, point final.

– Qu'est-ce qui se passe? chuchota Thérèse.

– Rien. Dors.

Marie parlait allongée dans son lit, immobile, les yeux ouverts dans le noir, mais Thérèse se leva.

– Thérèse! Qu'est-ce que tu fais? Viens te coucher!

– Non! J'écoute!

Marie se retourna dans son lit. De l'autre côté du mur, sa mère parlait fort, gémissait, criait. C'était toujours la même litanie : «Tu ne t'occupes pas de moi! Tu es toujours parti! Je suis toujours toute seule! La vie passe, Sacha! La vie passe! Qu'est-ce qu'on va devenir? Mais parle! Est-ce qu'on va être des mendiants montés à cheval toute notre vie?». Cela durait jusqu'à ce qu'Alexandre élève la voix à son tour : «Maudit, Berthe! Vas-tu me sacrer patience?». Alors le silence tombait d'un coup et Marie entendait sa mère sangloter. Le matin, elle la retrouvait à la cuisine, les yeux rougis, des mouchoirs en boule dans une main. Ses cheveux étaient défaits, son visage empâté et elle traînait son corps dans sa vieille robe de chambre. Sa silhouette était chaque jour plus épaisse. Pourtant Berthe était jolie. Au cours des années, rien n'avait altéré sa bouche pulpeuse, son nez fin et ses yeux marron foncé, légèrement bridés. Quand elle lissait ses cheveux et les coiffait en chignon, elle avait tout à fait le type asiatique.

– Maman a dit que papa ne s'occupait pas d'elle!

– Ce n'est pas vrai, murmura Marie en soupirant.

Elle avait mal à la tête et cette dispute la tiendrait réveillée longtemps. Elle ne finirait par se rendormir qu'après avoir imaginé que sa mère redevenait mince et élégante comme lorsqu'elle avait rencontré Alexandre et que, du coup, il ne faisait plus six visites en rentrant de Montréal mais seulement la moitié pour être plus vite de retour auprès d'elle. Berthe l'attendait dans la cuisine, de bonne humeur, pimpante même en peignoir. Elle lui préparait un bon thé chaud et le lui servait au salon avec une assiette de biscuits. Ils discutaient à voix basse parce que les enfants dormaient à l'étage puis Berthe jouait du piano doucement, mais pas *Plaisir d'amour*!, quelque chose d'autre, une gymnopédie de Satie, une élégie de Massenet, un morceau d'amour.

L'amour... Qu'était-ce donc que l'amour? Être mariés? À part quelques exceptions, Marie ne connaissait que des gens qui se disputaient ou se comportaient comme des marionnettes. Chez Paulette, l'atmosphère était souvent tendue, surtout quand son père était ivre et qu'il apostrophait sa femme en usant d'un ton qui aurait effrayé même Bouley, qui avait fait la guerre en première ligne. Chez Michel, c'était encore pire : sa mère ne s'occupait jamais de lui ; lorsqu'il s'en approchait, elle le repoussait sèchement en lui reprochant sa façon de manger, de jouer, de parler. Et quand elle se promenait à Belœil, aux bras de son mari, avec Michel derrière, elle passait des commentaires du genre : «Qu'en pensez-vous époux? Irons-nous à la pharmacie avant d'aller à la mercerie?». Et lui répondait : «Comme il vous plaira, épouse». Quant à Hubert, il jouait auprès de sa mère qui ne le laissait pas d'une semelle, le rôle d'un mari attentionné. Tiens! C'était peut-être pour cela que Marie n'en ferait jamais son «époux». Lorsqu'elle partirait de cette maison pleine de joie et de fureur, ce serait pour être libre et en paix. Et si le mariage signifiait s'engouffrer dans ce tunnel de tyrannie, alors elle ne se marierait pas.

– Papa vient de claquer la porte!

Thérèse se précipita à la fenêtre. Marie se leva.

– Tu vas attraper froid! Après tu seras malade! C'est cela que tu veux?

– Laisse-moi donc! Je regarde!

À côté, Berthe poussait des gémissements de mère à qui on vient d'arracher son enfant.

– Papa n'a pas pris sa voiture!

– Bien sûr que non, dit Marie. Il doit être dans la cuisine.

Thérèse ouvrit la porte le plus silencieusement possible. Au même moment, le corridor s'éclaira et l'ombre de l'oncle Arthur se profila dans la lumière. Il était en maillot de corps.

– Que se passe-t-il? Ça ne dort pas là-dedans?

Il entra dans la chambre des filles et alluma le plafonnier. Son regard se posa un peu partout. Thérèse en profita pour se précipiter dans son lit.

– Oui! tonna-t-il. Tu as intérêt à te recoucher, espèce de peste!

– Je ne suis pas une peste! cria Thérèse. Je vais le dire à maman que tu m'as appelée comme ça, espèce de...

– Espèce de quoi?

137

L'oncle s'approcha du lit d'un pas mal assuré. Il regardait dans le vide, au-dessus des lits, vers le mur. Pendant un instant, Marie fut profondément malheureuse de le voir dans cet état-là. Elle avait déjà noté dans son journal qu'il était fou et l'avait regretté quand Berthe lui avait dit que son oncle n'était pas fou, mais malade, et que les petits paquets lui parvenant de Québec contenaient des médicaments dont il ne pouvait pas se passer. Cependant, les enfants n'étaient pas dupes et avaient chacun leur opinion sur cet oncle bizarre. Bruno le détestait parce qu'il passait son temps à donner des ordres sans trouver mieux à faire que rester assis sur la galerie à fumer des pipes qu'il rallumait toutes les minutes. La galerie était couverte d'allumettes brûlées qu'Arthur ne prenait jamais la peine de ramasser. De temps à autre, Berthe s'en chargeait, mais le plus souvent c'était Bruno : il ne supportait pas le désordre, la saleté, et surtout l'attitude nonchalante de ce bonhomme lisant et relisant les mêmes dix *Sherlock Holmes* aux couvertures racornies.

Il y eut des pas dans le corridor. Alexandre entra bientôt dans la chambre des filles. Il avait son visage fermé, celui que les enfants craignaient.

– Vous ne dormez pas? Couchez-vous maintenant! ordonna-t-il sur un ton qui ne souffrait pas de réplique, sans pour autant être dur.

Il avait les yeux tirés, un regard grave, accablé, mais il dégageait cette force qui faisait de lui le tout-puissant de la famille.

– Viens-t-en Arthur, dit-il. Tu n'as rien à faire ici.

Quelques minutes plus tard, les filles entendirent Berthe traiter Arthur de vieux cinglé. Elle ne pleurait plus. Sa voix était assurée. Puis Alexandre cria : «Tais-toi maintenant! J'en ai plein mon casque!».

Le lendemain serait un autre jour, mais pareil aux autres. Pas un mot ne serait prononcé sur ce qui s'était passé dans la nuit. Les personnages et les témoins du drame se tairaient selon une complicité établie depuis toujours dans la famille. Ces crises faisaient partie du quotidien, au même titre que les fous rires et les moments de grande tendresse. Quand, sur la route du couvent, Thérèse affirmait à Marie que leurs parents étaient fous et qu'il fallait faire quelque chose, Marie se taisait. Elle pensait à Bruno. Où était-il à cette heure? Que faisait-il, son semblable, venu comme un cadeau le jour de son anniversaire? Bruno avait sa sagesse, il se frayait un chemin entre les tensions de la famille et quand la situation devenait impossible, il sortait respirer l'air pur. Avec lui, se disait Marie, il ne pouvait pas y avoir de chute dans l'abîme. Ils avaient en commun la faculté de se détacher, tout comme celle de se retirer à l'intérieur d'eux-mêmes, pour survivre. Aussi, quand Bruno reviendrait du Brébeuf à la mi-décembre, Marie ne lui raconterait pas ce qui s'était passé cette nuit-là. Elle serait Blanche-Neige pour lui, un peu de féerie dans son existence, quelque chose à garder dans sa mémoire quand il repartirait chez les pères.

XXI

Bien qu'elle fût très occupée, Marie prenait le temps d'écrire à Paulette. Parfois elle demandait à son père de poster ses lettres ou elle les remettait à Madame Lepoutre qui, un dimanche sur deux, allait au couvent de Saint-Césaire rendre visite à sa fille. Marie faisait attention à ce qu'elle écrivait car, sous quelque prétexte moral, les sœurs pouvaient bien commettre le péché de curiosité et vérifier le contenu de leur correspondance. Aussi elle escamotait l'essentiel, mais reprochait à Paulette de l'oublier, de ne pas lui donner de nouvelles et souhaitait que l'occasion lui fût donnée d'accompagner Madame Lepoutre à Saint-Césaire.

Cela arriva alors que Marie était occupée à répéter son rôle devant le miroir de l'entrée de la maison. Le téléphone sonna. Berthe lui dit peu après de se préparer car Monsieur et Madame Lepoutre passeraient la chercher dans quelques minutes. Dans la voiture, Marie savoura son bonheur : Paulette était la seule à qui elle pouvait vraiment se confier et les moments passés avec elle, dans l'intimité, lui manquaient souvent. Elle ne lui parlait pas de ce qui se passait chez elle, ou très peu, mais de ce qui se passait en elle. Depuis quelques mois, elle ne s'était jamais sentie aussi seule, comme si tout lui échappait. Était-ce le temps? Il passait si vite, et tellement lentement. Les semaines au couvent étaient interminables et les dimanches disparaissaient avant même qu'elle en eût profité. Elle se disait: «Aujourd'hui, après la messe, je ferai deux heures de piano, une grande promenade, les visites avec papa, ma répétition de *Blanche-Neige*, et puis j'écrirai à Jean et Bruno». La nuit tombait, Berthe servait le dîner, la soirée s'effilochait, Alexandre descendait remplir le poêle à bois et c'était déjà l'heure de monter se coucher. Marie s'endormait après s'être retournée cent fois dans son lit, toute occupée à vivre d'avance ce qu'elle se proposait de faire le lendemain et les jours suivants.

Se rendre à Saint-Césaire prenait presque une heure, même si Monsieur Lepoutre conduisait vite. Marie regardait toutes les maisons, les grandes en briques rouges entourées de vastes galeries et les petites en bois, cachée derrière les pins. Elle imaginait la vie que les gens pouvaient y mener. Des familles? Des ermites? Des amoureux? Une femme errant d'une pièce à l'autre, et qui se pendrait peut-être dans un escalier comme la fille des Neuville? Une femme qui ne retrouverait jamais son mari? Monsieur et Madame Lepoutre, en effet, parlaient encore de la guerre. Ils savaient depuis peu qu'un de leur cousin avait été tué en débarquant en Normandie, au bout de six jours de traversée. L'homme n'aurait connu de la France qu'une immense plage de sable, à l'aube, des canons tapis derrière les dunes et l'eau de la mer qui avait pris la couleur du sang répandu. Mais c'était peut-être moins terrible que de revenir mourir au Canada. Petit à petit, on apprenait que certains épargnés, incapables d'accepter la mort de leurs camarades, mettaient tout simplement fin à leurs jours. Madame Lepoutre se moucha et poussa un profond soupir.

– Mon Dieu! dit-elle. Faites cesser cette horreur avant que tout le monde ne soit obligé d'y aller!

– Est-ce que vous iriez vous battre, Monsieur Lepoutre? demanda Marie.

– J'espère bien que non! Mais quand il faut, il faut!

– Et mon père?

– Parlons donc d'autre chose! s'écria Madame Lepoutre.

Que deviendrait la vie sans Alexandre à la maison? Marie ne pouvait se figurer cela sans avoir l'impression de perdre le souffle. La guerre était pour elle un terrain vague envahi d'hommes se tirant des coups de fusil, et puis des hangars, avec les mêmes hommes couchés dedans, recouverts de bandages pleins de sang. Le soir, avant de se coucher, se rappelant des recommandations de Berthilie, elle demandait à Dieu de protéger «les hommes au front» et songeait que bien avant qu'elle fût née, son père et l'oncle Arthur avaient connu ce terrain vague... Mais lorsque Madame Lepoutre dit : «On arrive enfin!», toutes les pensées moroses de Marie disparurent. Paulette attendait-elle déjà au parloir? Auraient-elles quelques minutes pour se parler tranquillement? Cependant il fallut patienter, debouts, en intrus, comme c'était le cas quand Marie allait à Brébeuf rendre visite à ses frères. Et puis Paulette apparut. Elle marchait sans hâte, la tête droite et les mains à plat sur sa jupe, comme les sœurs l'exigeaient. Lorsque la révérende mère entra au parloir à son tour et se mit à discuter avec les Lepoutre, les deux filles en profitèrent pour se retirer près de la fenêtre.

Paulette voulait tout savoir, tout de suite. Elle aspirait l'énergie de Marie, ce qui flottait autour d'elle, Belœil, les promenades dans les bois et le long de la rivière, les dimanches en famille, les amis, la liberté, la vie tout court. Elle vivait en imagination ce que Marie racontait, non sans l'envier d'être si libre. Car c'était ce qui distinguait Marie de la plupart des jeunes filles de son âge, et même des garçons. Elle avait une façon de rire, de sourire, une sorte de distance, de manière de voler au-dessus de la mêlée, de n'être pas tout à fait incarnée, comme si elle n'appartenait pas à ce monde. Même quand elle était punie, ou contrariée, elle se faufilait, s'éclipsait,

143

évanescente, légère, heureuse! – présente de corps et l'esprit ailleurs. Elle portait une robe de couventine et elle avait l'air d'une petite reine égarée de son royaume. Elle portait un gros bonnet de laine, un foulard, un manteau attaché jusqu'au menton et pourtant son sourire mettait à nu son âme riante et cristalline. Aujourd'hui encore, dans son manteau d'automne, Marie était bouleversante de beauté et de lumière. Une sorte d'aura émanait d'elle, elle était entre la terre et le ciel, insaisissable, magnétique. Si elle avait été seule, Paulette se serait jetée dans ses bras. Elle l'aimait tant! Mais, à intervalles réguliers, la révérende mère leur jetait des regards furtifs, épiant leur conversation, leur comportement, leur posture. Mais elle n'entendait rien des paroles qu'elles échangeaient car elles demeuraient face à la fenêtre, immobiles, et parlaient en regardant droit devant elles.

– Alors? Es-tu prête pour la première de *Blanche-Neige*? Connais-tu ton rôle vraiment par cœur?

– Oui, souffla Marie.

– Tu as bien de la chance, tu sais, de ne pas être pensionnaire!

– Tu te plais bien ici, pourtant. Ta mère me le disait encore, dans la voiture.

Paulette soupira.

– Oui, mais j'aimerais te voir plus souvent.

– On se verra à Noël! C'est bientôt! Et puis il y aura Jean et Bruno!

Paulette rougit.

– On ira glisser, on jouera au hockey, tu viendras manger chez nous tout le temps si tu veux.

Cette fois Paulette sourit.

– Paulette! Viens nous voir un peu!

Il y eut encore un petit conciliabule avec les parents et Marie, puis la révérende mère rappela Paulette à l'ordre.

– Mademoiselle! La visite est terminée.

Ainsi Marie n'aurait pas eu le temps de dire à Paulette ce qu'elle ne disait à personne : tout simplement que l'été était passé, que l'automne s'achevait déjà et qu'elle se sentait envahie par un sentiment qu'elle n'avait jamais connu auparavant, une joie mêlée de tristesse et qui ressemble à la nostalgie. Devant la fenêtre, tout à l'heure, il s'en était fallu de peu pour qu'elle s'abandonne à son élan et qu'elle prononce les mots qu'elle se répétait en esprit : «Paulette! Je m'ennuie de mon enfance». Mais ce n'était pas des choses à dire devant trois adultes chuchotant, devant cette religieuse aussi ténébreuse que Berthilie était scintillante, dans ce petit parloir sentant la cire et l'encens, un endroit hostile. Marie s'était retenue tout en donnant à Paulette le meilleur d'elle-même. Elle savait qu'elle s'était nourrie de sa présence et que, de nouveau, leur amitié repartait pour un tour, plus solide encore grâce à ce moment presque intime qu'on leur avait accordé. Elles s'étaient parlées en silence, à mots couverts. Elles s'étaient ressenties.

Alors Paulette embrassa tout le monde et suivit la sœur. Dans le corridor, toutefois, elle se retourna rapidement et aperçut ses parents de dos, s'apprêtant à pousser la lourde porte du couvent. Marie était derrière eux, aussi grande qu'eux ; ses cheveux mi-longs, blonds comme du caramel, tombaient en boucles légères sur ses épaules. Elle tendit le bras pour aider à pousser la porte. Son manteau, qu'elle n'avait pas fermé, se retroussa un peu. Dans le parloir, tout à l'heure, Paulette n'avait pas pu s'empêcher de poser les yeux sur ses seins, flottants, lourds et légers sous un cardigan de laine bleu clair, et d'en être troublée car Marie était belle. Au fond du corridor, au-dessus de ses parents descendant les marches du perron, un pan de ciel gris apparut. Et la porte se referma sur Marie.

145

XXII

Marie tint son journal à peu près régulièrement de janvier à mai 1942. «Je me lève, je marche toute seule en haut...», écrivait-elle le 6 mai, après avoir passé plus d'un mois au lit à cause de ses rhumatismes. Et puis elle n'inscrivit plus rien dans le calepin noir. C'était donc qu'elle était heureuse. Jusqu'au 1er décembre. Là, une urgence, peut-être une prémonition, la conduisit à reprendre son journal et y attester son existence chaque jour, pendant dix jours consécutifs. Le 1er décembre, il faisait froid à Belœil. Marie se prépara à aller passer quelques jours à Saint-Hyacinthe se faire nettoyer les dents et s'en faire plomber une par le dentiste Lafleur. Elle demeura chez Madame Lafleur, amie de Berthe. Le 2 elle raconta qu'elle avait vu des films, dont un sur le Japon qui lui avait bien plu. Le lendemain, comme il faisait encore trop froid pour sortir, Marie écouta des disques, lu et discuta avec Madame Lafleur. Celle-ci avait entrepris de lui tricoter un cardigan avec de la grosse laine. Le vendredi 4, Marie se rendit à la ville avec la fille de Madame Lafleur et se promena dans un *Quinze cents*. Elle y acheta un taille-crayon, un bracelet de pacotille, une barrette.

Le samedi soir, elle revint à Belœil. Il ne lui restait plus que treize jours à passer sur terre, et à coucher dans son nouveau lit «superposé» qui apportait du changement dans sa vie, une sorte de nettoyage et de remise à neuf, comme pour ses dents. Un lit recouvert par un autre, au-dessus de sa tête, et dans lequel elle se glissait comme elle se serait glissée dans une cachette, une grotte, une voûte.

Tout s'annonçait. Mais quoi? Marie allait tout simplement, suivant son cours, comme l'eau du Richelieu. «Rien de spécial», précisa-t-elle le 7 décembre. Mais aussi : «Je me suis laissée faire» et «j'ai mal à l'épaule». Voilà que les rhumatismes la reprenaient et que son écriture se modifiait : encre noire, lettres formées avec moins d'application par une main fatiguée et un esprit déjà troublé par ce qui allait venir. Durant cette semaine, Marie ne se rendit pas à l'école mais, le jour de l'Immaculée-Conception, elle assista à la messe avec ses parents et apprécia le sermon du curé. Pourtant Alexandre dut lui faire un traitement avant de repartir à Montréal. Le lendemain, elle se sentait mieux et il fut même question qu'elle aille à Montréal. Le soir, elle nota dans son journal que Berthe en avait décidé autrement. Le 9 décembre, par conséquent, elle s'ennuya toute la journée, contrariée que la fête qu'elle s'était faite d'aller en ville ait été reportée une fois de plus à cause de Berthe et s'en plaignit dans son journal. Elle ne pouvait pas savoir que sa mère retrouverait le calepin et qu'elle pleurerait amèrement sur cette journée du 9, une des dernières de la vie de sa fille. Marie... Pauvre petite âme libre, que tous ceux qui n'accepteraient jamais sa mort retiendraient entre ciel et terre. Berthe déroberait aux mains et aux regards la moindre petite chose lui ayant appartenu, ou plutôt ce qui échapperait à la surveillance d'Alexandre, et surtout la robe de Blanche-Neige que Marie n'aurait portée que pour répéter son rôle. Berthe y enfouierait sa tête pour retrouver l'odeur de sa fille, une vision fugitive de sa peau, un miroitement dans ses cheveux et la finesse de ses doigts qui auraient joué du piano jusqu'au dernier jour – une nuit d'hiver. «Maman! Maman! J'ai mal à la tête!» Alors Marie pousserait un grand cri...

Le 10 décembre, elle écrivit encore cinq lignes dans le petit espace réservé à cette date. Cinq lignes courbes comme les obsessifs en écrivent et qui, au bout du compte, forment un cercle, un ovale ou une spirale. Une toute petite manifestation de la perte d'application, chez Marie ; les lettres qui s'allongent et chutent à la fin des mots – un peu d'elle-même, la preuve de son passage. Ce jour-là elle avait mal à la tête. Berthe aussi.

Ainsi, à quelques jours de Noël, la maison était plongée dans la morosité. Refroidissements, migraines, odeur d'éther et de bouillon de poule, humidité filtrant les planchers, courants d'air se jouant des portes fermées, poêle à bois rempli toutes les fois qu'Alexandre rentrait d'une visite ou quand Bouley venait se réchauffer dans la cuisine après avoir cordé des bûches pendant des heures et déblayé l'entrée des voitures de la neige fraîchement tombée. Arthur était dans sa chambre, il lisait, fumait, marmonnait, descendait, inspectait, demandait, remontait, seul avec lui-même, lui aussi, dans cette maison où on s'ennuyait ensemble.

Le soir Alexandre avait son air sérieux et fermé, celui des mauvais jours. Marie savait qu'il n'était pas content, débordé, fatigué, excédé. Il trouvait Berthe couchée, en train de se moucher, de sommeiller, toute habillée sous les draps ou en boule sur le canapé, une robe de chambre par-dessus ses vêtements. Quand il la réveillait, un peu sèchement, elle posait sur lui un regard perdu.

– Où est Arthur? demandait-il. As-tu pensé à faire cuire le rosbif? As-tu rangé la crème comme je te l'ai demandé?

Et il se mettait à crier parce que Berthe n'avait rien fait. Elle avait oublié, elle n'y avait pas pensé, elle était malade, Alexandre ne s'occupait d'elle que lorsqu'il s'agissait de «lui donner des ordres». Marie entendait monter les cris, les lamentations, les exhortations, et elle se laissait gagner par le malaise, une sorte d'ambiance morne qui donnait envie de dormir.

Dormir pour toujours?

Et puis soudain le curé Guillet passait, ou Madame Lepoutre, ou les Fontaine. Arthur descendait, en pleine forme, et entamait une conversation enflammée avec son frère. On parlait de l'Église, de la guerre, de l'éditorial de *La Patrie*. Berthe s'ennuyait ferme jusqu'à ce qu'elle aiguille les propos vers des chemins plus littéraires. Mais les hommes étaient complètements indifférents à ce qu'elle leur exposait des prises de position d'un Gide, d'un Mauriac ou d'un Romain Rolland. Alors elle se refermait sur elle-même dans une attitude où se mêlaient la condescendance, le sentiment d'être incomprise et de ne pas être dans le bon monde. Elle ne tardait pas à se lever pour jouer au piano à quatre mains, avec Marie, puis retournait à la table et Marie jouait toute seule. Cela avait au moins le mérite de détendre l'atmosphère. Enfin Marie montait se coucher car son mal de tête était revenu et frappait contre ses tempes. Est-ce que cette existence ne changerait donc jamais? N'y aurait-il pas quelque chose, un peu d'intensité pour bouleverser ce quotidien doux-amer? Que Noël arrive! Que Jean et Bruno reviennent! Et que le reste de la famille fasse un effort pour ne pas leur imposer ce que Marie vivait chaque jour: l'appréhension de savoir si la journée serait claire ou sombre, empreinte de rires ou de cris, bonne ou mauvaise, heureuse ou triste.

Le jeudi 17 décembre, dans l'après-midi, le changement survint et, cette fois, les cris n'avaient rien à voir avec ceux de ses parents se querellant. La veille Jean et Bruno étaient revenus du collège, la maison était joyeuse, on avait mangé un bon gigot préparé par Berthe et bien dormi dans les lits superposés. Le matin Jean et Bruno furent les premiers levés, après

Alexandre très tôt parti travailler. Marie et Thérèse rejoignirent leurs frères dans la cuisine. Le ciel était bas, lourd et gris de nuages entassés. À perte de vue, dans les champs, des arbustes noirs ployaient sous un petit vent sec. Il aurait pu y avoir du soleil, un ciel tout bleu ; alors la neige aurait brillé comme un trésor ouvert à des yeux émerveillés.

– Ce n'est pas grave, déclara Bruno. On va atteler le chien et on va aller se promener.

Pour les garçons, rien ne pouvait assombrir la joie qu'ils éprouvaient d'être enfin chez eux à quelques jours de Noël.

– D'ailleurs, cet après-midi, on fera l'arbre, dit Jean.

– Moi je mets les boules de Noël! Et les cheveux d'ange! Et les glaçons!

– Et si tu mets tout, Thérèse, qu'est-ce que les autres mettront? demanda Marie.

Sa sœur sourit et se rapprocha de Jean.

– L'étoile! Parce que je suis trop petite pour la mettre.

– Tu peux monter dans une échelle comme tout le monde, dit sèchement Bruno.

Pour éviter une dispute, Marie donna le signal du départ. Les enfants s'habillèrent chaudement. Dehors Bouley les aida à atteler Tommy et ils partirent en pleine neige étale et dense. À proximité de la maison des Lepoutre, ils entendirent des cris et virent des flammes sortir de la cheminée et des fenêtres du premier étage. Marie abandonna le traîneau et se mit à courir dans la neige qui montait jusqu'aux genoux. C'était difficile. Elle avançait, s'enfonçait, tombait, se relevait et reprenait son allure. Bien sûr Paulette était au couvent, mais c'était bien vers elle que Marie se précipitait, et vers Madame Lepoutre. Tout en avançant, elle murmurait : «Faites que le violon soit sauvé! Faites que le violon soit sauvé!». Mais elle pensait surtout au piano. Jamais ils ne pourraient sortir le piano. Les frères de

Paulette criaient sur la galerie. Leur mère leur tendait des manteaux, elle rentrait et sortait de la maison et jetait dans la neige des choses à sauver : livres, appareils de cuisine, vêtements. Le feu dans la cheminée s'était frayé un chemin par les fissures que, chaque hiver, les Lepoutre avaient négligé de réparer. Ils perdraient tout mais Madame Lepoutre sauverait son violon. Elle le confia à un de ses fils, avec d'autres objets, et dit : «Cours! Cours! On va tous chez Berthe!». Les enfants allaient dans tous les sens. Marie s'affairait aussi, elle ramassait des vêtements tandis que les voisins arrivaient de tous côtés, par grappes, pour contempler le spectacle du malheur. Madame Lepoutre trouvait encore le courage de donner des directives. Marie courut deux fois, trois fois de cette maison crépitante à la sienne, toute chaude, qui accueillerait les sinistrés. Son cœur battait fort, elle n'y pensait pas, pas plus qu'au martèlement dans ses tempes et qu'à son souffle qu'elle reprenait avant de repartir. Maintenant une fumée opaque sortait de toutes les fenêtres de la maison des Lepoutre et, autour, les gens commençaient à tousser. «Poussez-vous! criaient-ils. Éloignez-vous! Ça peut craquer! Ça peut s'écrouler!» Les enfants avançaient et reculaient, les yeux ronds, défiant le danger. Tommy s'était libéré de son attelage et aboyait en bondissant. Il s'efforçait de faire barrage aux enfants. Bruno le contournait; Jean et Thérèse lui criaient de se pousser. Alors Tommy se mit à tourner autour de Marie, affolé ; il s'arrêtait devant elle et aboyait. Elle ne l'entendait même pas. Sa meilleure amie était en train de perdre sa maison, ses livres, ses partitions de musique et les poupées qu'elle gardait encore dans sa chambre. Elle se préparait déjà à la consoler. Mais trouverait-elle les mots?

Puis il fallut répondre aux questions des pompiers, des policiers, des voisins s'agglutinant aux portes, nourrir tout le monde, apaiser les enfants qui criaient et ceux qui restaient bouche-bée, sécher les larmes de Madame Lepoutre qui coulaient sans arrêt. Bien sûr Marie ne pouvait pas imaginer qu'elle ne reverrait jamais Paulette et que Paulette apprendrait la tragédie au téléphone, jour après jour, à petites doses. «Paulette? C'est maman, écoute : eh bien, la maison a brûlé...» «Paulette? C'est maman, écoute : Marie a beaucoup couru quand la maison a brûlé. Maintenant elle est malade.» «Paulette? C'est maman, écoute : Marie...»

Le soir tout le monde se coucha enfin, épuisé. Deux garçons au-dessus des lits de Bruno et de Jean, les Lepoutre dans la chambre d'Arthur, Arthur en bas, encore deux autres enfants couchés dans la chambre des filles. Sur l'ordre d'Alexandre, tout le monde avait mangé car il fallait reprendre des forces et suivre la maxime inscrite à cette date dans le journal que Marie n'ouvrit pas : «La minute présente : le seul moment où je puisse réparer le passé et construire l'avenir». Demain serait un autre jour. Après le petit déjeuner pris dans la consternation, on irait voir la maison toute calcinée, puant la fumée et la mort : rien ne pourrait être récupéré de cet amas de planches. Tout serait fini. Il faudrait recommencer à zéro. Survivre.

Dans la nuit Marie poussa un grand cri. Personne, bien évidemment, ne dormait profondément. En peu de temps, sa chambre fut envahie et on s'y tint debout comme dans un salon mortuaire. Car c'était bien cela qui s'y passait et que l'on refusait d'admettre : le feu, la course, l'émotion, l'hiver avaient eu raison de la faiblesse du cœur de Marie et maintenant c'était à son tour de s'éteindre. Jamais les enfants n'avaient vu Alexandre dans cet état-là, fébrile, souffrant à mourir derrière son visage fermé et ses mains agitées sur Marie, l'aidant à s'appuyer contre des oreillers pour qu'elle respire mieux en murmurant «Ça va aller, ça va aller», alors qu'il aurait voulu hurler devant l'évidence. La minute était venue? Ce serait donc celle-là? À cause de cette maudite maison? Alexandre prenait le pouls de Marie et laissait retomber son bras. Elle râlait et ses yeux se retournaient presque sous ses paupières. Sa poitrine se gonflait comme une voile dans le vent et retombait d'un coup. Chaque seconde, elle cherchait son souffle, chaque seconde, elle le cherchait un peu plus, et il n'y avait rien à faire. Alexandre le savait bien, mais Berthe criait et les enfants restaient debouts, impuissants, comme quand leur père allait chez les Leblanc soigner l'ulcère de la femme et caresser la grosse tête de l'enfant tapi dans le coin. Ils regardaient Marie mourir et pas un d'entre eux ne croyait qu'elle s'en sortirait, comme Blanche-Neige qu'elle ne serait jamais. Maintenant Berthe était à moitié couchée sur le lit, elle chuchotait, elle implorait, elle ordonnait, elle gémissait: «Marie! Je t'en supplie! Marie! Ne t'en vas pas! Ne t'en vas pas! Marie je t'en supplie!». Mais Marie n'avait plus de mots. Que du feu dans sa tête et dans ses poumons, tandis que son cœur se déchirait. Tout ce qu'elle avait pu dire, après le cri qu'elle avait poussé et qui avait réveillé tout le monde avait été: «J'ai mal à la tête. Maman! J'ai mal à la tête!». Fallait-il que la douleur soit intense et insupportable pour qu'elle crie comme cela, elle qui avait l'habitude des migraines, des rhumatismes et des fièvres la clouant au lit pendant des semaines...

Devant le lit de Marie, Bruno tremblait. Il tenait à peine sur ses jambes ressoudées depuis longtemps et luttait pour rester debout, pour voir ce qu'on l'obligeait à voir et qui était impossible à voir. Dans sa tête des images se bousculaient, floues, puis intenses de précision, et il murmurait sans qu'aucun son ne sorte de sa bouche. C'était pour lui-même, pour Marie, une incantation dans sa tête, la seule façon, peut-être, de l'atteindre par l'esprit et de la sauver maintenant qu'elle se tordait dans son lit, devant tout le monde : «Lordose, scoliose, diphtérie, folie, syndrome, tétanos!». Mais cela n'avait plus de sens. Marie ne répondait plus : «C'est bien, c'est ça». Une mousse rose commença à sortir de sa bouche. Alors Alexandre se plia en deux comme si on lui avait planté un couteau dans le ventre. Tout se brouilla, Bruno eut l'impression d'être tout petit avec des ombres autour de lui. Berthe cria : «Allez vous-en! Allez-vous-en! Allez-vous-en!». Quelqu'un dit encore : «Notre maison a brûlé!». Des gens sortaient et entraient dans la pièce. Puis le curé Guillet se pencha sur Marie avec des chapelets, des gobelets en or, un crucifix qu'il glissa entre ses mains. Que faisait-il donc là, celui-là? Bruno grelottait, il regardait toujours en direction du lit : la tête de Marie lui apparaissait quand Guillet se relevait de son chevet, puis elle disparaissait. Il ne voyait plus que les cheveux et la poitrine de sa sœur. Il entendait Thérèse pleurer et le silence de Jean faisait plus de bruit que le va-et-vient dans la chambre, chaussures claquant sur le parquet, chaussures piétinant, respirations, cris, murmures et plaintes. Guillet se tenait maintenant à genoux à côté du lit, Alexandre de l'autre, chacun d'un côté comme des remparts. Bruno ne bougeait pas. Il regardait Marie. Il la regardait sans arrêt. Il attendait qu'elle le regarde. Car elle allait le regarder! Mais elle ferma les yeux très doucement, et sa poitrine cessa de se gonfler.

Achevé d'imprimer en octobre 1999 chez

VEILLEUX
IMPRESSION À DEMANDE INC.

à Longueuil, Québec